Littérature d'Amérique

Collection dirigée par
Isabelle Longpré

Du même auteur

Le temps qui m'est donné, roman, Québec Amérique, coll. « Littérature d'Amérique », Montréal, 2010.

Cette année s'envole ma jeunesse, récit, Québec Amérique, coll. « Littérature d'Amérique », Montréal, 2009.

- **Finaliste Prix du gouverneur général 2009**

Ceci est mon corps, roman, Québec Amérique, coll. « Littérature d'Amérique », Montréal, 2008.

- **Finaliste Prix du gouverneur général 2008**
- **Mention d'excellence de la Société des écrivains francophones d'Amérique**

Quand les pierres se mirent à rêver, poésie, Le Noroît, Montréal, 2007.

La Fabrication de l'aube, récit, Québec Amérique, coll. « Littérature d'Amérique », Montréal, 2007.

- **Prix des libraires du Québec 2007**

Voici nos pas sur la terre, poésie, Le Noroît, Montréal, 2006.

Le Jour des corneilles, roman, Les Allusifs, Montréal, 2004.

- **Prix France-Québec/Jean Hamelin 2005**
- **Prix du livre francophone de l'année 2005, Issy-les-Moulineaux, France**
- **Finaliste Prix des Cinq continents 2005**

Turkana Boy, roman, Québec Amérique, coll. « Littérature d'Amérique », Montréal, 2004.

Le Petit Pont de la Louve, roman, Québec Amérique, coll. « Littérature d'Amérique », Montréal, 2002.

Mon père est une chaise, roman jeunesse, Québec Amérique, coll. « Titan », Montréal, 2001.

Les Choses terrestres, roman, Québec Amérique, coll. « Littérature d'Amérique », Montréal, 2001.

Garage Molinari, roman, Québec Amérique, coll. « Littérature d'Amérique », Montréal, 1999.

- **Finaliste Prix France-Québec**

Comme enfant je suis cuit, roman, Québec Amérique, coll. « Littérature d'Amérique », Montréal, 1998.

Collaborations

Comment écrire un livre, nouvelle, dans *Ma librairie indépendante* (collectif), publié par l'Association des libraires du Québec à l'occasion de son 40e anniversaire, Montréal, 2010.

Hum…, texte d'humeur, Fides, dans *La Vie est belle !* (collectif), album de textes et de photographies par Isabelle Clément, Montréal, 2008.

Ici Radio-Canada – 50 ans de télévision française, ouvrage commandé par la Société Radio-Canada soulignant le 50e anniversaire de la télévision publique canadienne (en collaboration avec Gil Cimon), L'Homme, Montréal, 2002.

Le Chien qui voulait apprendre le twist et la rumba, nouvelle, dans *Récits de la fête* (collectif), Québec Amérique, Montréal, 2000.

Le Hasard et la volonté

Catalogage avant publication de Bibliothèque et Archives nationales du Québec et Bibliothèque et Archives Canada

Beauchemin, Jean-François
Le hasard et la volonté
(Littérature d'Amérique)
ISBN 978-2-7644-1310-4
I. Titre. II. Collection: Collection Littérature d'Amérique.
PS8553.E171H37 2012 C843'.54 C2011-942610-2
PS9553.E171H37 2012

Nous reconnaissons l'aide financière du gouvernement du Canada par l'entremise du Fonds du livre du Canada pour nos activités d'édition.

Gouvernement du Québec – Programme de crédit d'impôt pour l'édition de livres – Gestion SODEC.

Les Éditions Québec Amérique bénéficient du programme de subvention globale du Conseil des Arts du Canada. Elles tiennent également à remercier la SODEC pour son appui financier.

L'auteur remercie le Conseil des arts du Canada pour son aide financière.

Québec Amérique
329, rue de la Commune Ouest, 3e étage
Montréal (Québec) Canada H2Y 2E1
Téléphone: 514 499-3000, télécopieur: 514 499-3010

Dépôt légal: 1er trimestre 2012
Bibliothèque nationale du Québec
Bibliothèque nationale du Canada

Projet dirigé par Isabelle Longpré
Mise en pages: Andréa Joseph [pagexpress@videotron.ca]
Révision linguistique: Luc Baranger et Chantale Landry
Conception graphique originale: Isabelle Lépine
Adaptation de la grille graphique: Célia Provencher-Galarneau
Illustration en couverture: Pol Turgeon

www.quebec-amerique.com

Imprimé au Canada

Jean-François Beauchemin

Le Hasard et la volonté

roman

Québec Amérique

« Toute notre dignité consiste donc en la pensée. C'est de là qu'il faut nous relever et non de l'espace et de la durée, que nous ne saurions remplir. Travaillons donc à bien penser : voilà le principe de la morale. »

Blaise Pascal

Pour Manon Des Ruisseaux
Pour Jacques Clermont

On m'a apporté ce qu'il faut pour écrire. Mes accusateurs, mes juges, les témoins les moins sûrs, tous ceux qui me voudraient plus coupable que je ne le suis attendent de moi les détails que deux mois de procès n'ont pas su me soutirer. Il se peut que les pages que voici contentent ceux qui me questionnent encore. Et cependant ce n'est pas pour eux que je les écris. Je n'ai plus beaucoup de temps. Je ne veux pas le gaspiller en pensant à ce qu'on a si rapidement appelé mon *crime*, et à propos duquel je suis demeuré silencieux face au tribunal. Il n'était pas si essentiel, après tout, que je parle de cela: je ne trouve rien de plus banal qu'un homme qui, au moins une fois dans sa vie, cède à sa plus profonde volonté. Et puis, comme toujours, on ne m'a pas posé les bonnes questions. Quoi qu'il en soit, je n'éprouve pas de regrets. Du fond de cette cellule qui sera mon dernier logement, je songe avec calme au geste dur mais nécessaire que j'ai commis, d'ailleurs sans trembler, et contre lequel on a choisi d'échanger ma vie.

Précisément parce qu'il commence à me manquer, j'ai beaucoup pensé au temps depuis que je suis ici. J'ai tenté de mettre de l'ordre dans ce qui en a bien peu. Mais les quelques mois passés à observer ces murs où vient se heurter ma vie ne m'ont pas été si profitables. Je n'y peux rien: plus j'interroge mes souvenirs, et moins se fixe dans mon esprit cette suite plutôt mal coordonnée d'actions et de pensées, celles d'un homme que le monde tout à la fois émerveille et accable. J'ai songé surtout à la jeunesse. La mienne ne fut pas moins qu'une autre l'habituel mélange d'audaces, de bruits de tambour et de secrètes démesures. Je n'y changerais presque rien, à part une ou deux erreurs qui demeureront l'équivalent d'une fleur qu'on piétine. L'avenir, désormais limité, me paraît d'ailleurs tout aussi désorganisé. Les grands objets qui le composent ne sont pas moins éparpillés : la ligne que, dans mes meilleurs moments, je trace comme un jardinier creuse son sillon, n'est pas plus droite que celle que j'aperçois quand je me retourne vers le passé. Et néanmoins j'éprouve encore du bonheur dans l'évocation de cet avenir. Le poète écrivait : « Il n'y a pas de néant. Tout est quelque chose. Rien n'est rien. » Mais Victor Hugo se trompait, et le silence extraordinairement pur qui m'a enveloppé un jour était visiblement celui du néant. On m'a reproché, depuis, de sans cesse réfléchir à ma mort. Certains me reprochaient davantage : je les sentais scandalisés par le fait que je ne craignais pas de mourir, comme si cette absence de peur me rendait moins vivant. Ceux-là aussi avaient tort : si quitter la vie signifie me rapprocher de cette espèce de repos surhumain que j'ai entraperçu, je ne vois pas pourquoi je devrais m'inquiéter. Et quoi qu'on en pense, je demeure cet homme pensif et courageux, qui veut vivre, et que tient une joie presque inexplicable.

Je n'ai que ma vie. Raconter cette vie, en dévoiler, même en la chuchotant, l'interminable liste d'actes et de formes, m'ennuie plutôt. Je préfère la soupeser et, de là, tenter de découvrir si elle peut encore m'émouvoir. Je l'ai fait dès le début dans les livres que j'ai écrits. Le personnage de Jérôme, dans *Garage Molinari*, est un exemple assez vrai de ce regard nu jeté sur moi-même. Je me mesurais à ce personnage. Je l'observais comme on observe un homme qui nous ressemble mais qui est meilleur que nous. Ce contact était un formidable exercice de lucidité. Par elle j'ajustais sans cesse la hauteur de mon existence, j'en corrigeais la fausseté, j'en retrouvais s'il le fallait la raison d'être. C'est assez timidement que je me suis décidé à écrire, et surtout à écrire ce qui me possède. J'avais craint de mettre dans des livres ces descriptions, ces résultats de fouilles qui, je le savais, n'intéressaient au fond qu'une poignée de gens. Puis j'ai cessé d'éprouver cette inquiétude. Je n'espérais plus rien de ces pages écrites pourtant avec une sorte de croyance, et qui me semblaient dictées par un autre. Aujourd'hui encore, l'homme que j'y rencontre me laisse perplexe. Il n'aime pas assez ce qu'il voit : ce qu'il aime, c'est ce qu'il devine. Sa vie n'est nulle part ailleurs qu'en lui-même. Il oublie trop l'empreinte humaine, même éphémère, qu'il laisse sur les paysages. Il hait la douleur, et cependant à tout instant il interroge sa vie. Lorsque je le regarde un peu longuement, c'est à peine si je me reconnais : je le découvre plus grave que moi, plus souffrant, moins doué pour combattre son mal et le chanter.

J'ai décrit il y a quelques années dans un livre presque sage, intitulé *Cette année s'envole ma jeunesse*, les mois qui ont suivi la mort de ma mère. Quelques saisons d'un chagrin plus calme que ma vie sont à jamais couchées dans ces pages-là. Cette mort m'avait assez accablé pour que je sente le besoin d'en remuer les décombres, à la façon d'un archéologue cherchant encore un peu de beauté dans les ruines d'un monde disparu. Sans trouver dans cette mort les signes que je cherchais, j'aurai connu à la fin de ma quête une espèce d'apaisement assez propice au rétablissement de cette beauté. Ma propre mort m'importe peu, pourvu que j'aperçoive dans son sillage quelques débris puissants et plus ou moins secrets, la trace d'un accord conclu, au temps de la vie, avec la joie. Et l'éternité qui m'attend dans le trépas ne me trouble pas non plus : il n'y a rien derrière cette porte moins lourde qu'on le croit, et dont nous confondons le grincement avec la voix d'un impossible dieu. Je me suis attristé, depuis trente ans au moins, de ne plus trouver personne, ou presque, pour discuter de ces choses-là. On croit volontiers aujourd'hui encore que l'âme, que l'esprit, survivent à la fin dans un autre monde que le nôtre. Je ne m'étonne plus que la mort soit même de nos jours cet objet capable d'inspirer d'aussi imprudentes attentes. Mais je ne m'habitue pas à un tel ajournement du bonheur, à un tel désaveu envers la terre qui porte les hommes.

J'ai demandé qu'on m'apporte ce qu'il faut pour écrire parce que je n'ai ici quasiment personne à qui parler, et qu'à la longue cela me fait souffrir. Ce n'est pas que la compagnie des hommes me manque tant: la plupart n'écoutent guère, et je sais que le peu de paroles que j'ai exprimées pour ma défense s'accorde mal avec leur bavardage lassant. Ils adorent leur pensée. Ils s'appuient à cette faible rampe. Ils s'imaginent qu'il est simple de juger un homme. Et cependant, j'ai encore besoin de sentir que nous ne sommes au fond pas si différents, et que nous partageons, même de loin, une certaine idée de l'avenir du monde. Surtout, il me reste quelques mots à dire à quelqu'un que je ne reverrai plus et qui a compté dans ma vie plus que les autres.

Deux ou trois songes, quelques délires qui n'appartiendront jamais qu'à moi devront encore être tus. Mais pour l'essentiel je raconterai mon histoire, non pas afin de me justifier, mais parce que j'y ai fait tenir la plus haute place à l'amour, et que l'amour à présent s'est rompu. C'est ici, une fois ce mot *amour* prononcé, que commence véritablement ce que j'ai à dire.

J'ai toute ma vie ressenti les effets, en moi-même, d'une étrange cohabitation. L'esprit était au service du corps et de l'existence immédiate, de son émouvante réalité. Il se consacrait aux faits, aux phénomènes indiscutables, y compris ceux exigeant parfois un examen profond, peut-être secret. L'âme, moins maniable, plus avide d'absolu, s'intéressait quant à elle à d'autres perspectives, déterminait d'autres points de fuite, organisait le songe éternel que fait tout homme lorsqu'il réfléchit au moins un peu à son destin. J'étais fasciné par la présence de cet objet, pas nécessairement plus pur d'ailleurs que la chair et le sang, mais qui était bien davantage. Je cherchais à le connaître mieux. J'ai fini par comprendre qu'il n'avait rien à voir avec quelque faculté que ce soit : ni la réflexion, ni l'émotion, ni l'intuition ou la mémoire, par exemple, ne s'y attachaient. Simplement, mon âme m'observait. Je me disais qu'elle ne servait au fond peut-être à rien d'autre. Et parce que j'étais extraordinairement sensible à sa tranquillité, pour ainsi dire, je me sentais peut-être plus qu'un autre porté sur le silence. La prière, les appels toujours un peu trop exaltés que l'on lance aux dieux, ne m'intéressaient pas. Je m'étonnais qu'on se jette si facilement à genoux pour une demande qui ne me paraissait pas très différente d'une certaine fièvre des sens, ou de la conscience, et que le contact avec un être de chair aurait pu satisfaire. Néanmoins, j'aimais le silence que je notais par ailleurs chez ceux qui priaient. J'y entrais comme on entre dans un livre aux phrases amples et pensives, exigeantes et puissantes, le lieu le plus semblable à cet état d'un homme qui cherche, ou qui aime. J'y rencontrais l'essentiel, le noir terreau d'une pensée complexe, mais nue et lucide comme celle d'un chien.

Le hasard, cet éternel répartiteur, fit un jour entrer dans ma vie une femme qui partageait avec moi ces points de vues. Manon avait une intelligence émue, un cœur méditatif. Rien ne m'a étonné dans sa décision, prise assez jeune, de vouer sa vie à autrui : cette sensibilité contrainte ne brisait ses chaînes qu'en recouvrant d'un peu d'or celles des autres. J'ai admiré cette façon de trouver presque du repos dans le dévouement. Je ne suis pas certain de l'avoir tout de suite aimée, mais c'est possible. Même les séquences se mélangent : je ne sais plus lequel, de ce corps ou de ce caractère, m'a le premier troublé il y a vingt-quatre ans. Des yeux turquoise m'étudiaient. Je touchais cette épaule, beau fruit mûr deviné sous le vêtement, puis cueilli sur la couverture d'un lit. Cet être sauvage, presque toujours entouré de silence, se vouait sans compromis à un pragmatisme rêveur et, par moments, soucieux. Parce que j'étais plus léger, que je me fiais davantage à mon intuition et à mes sens qu'à mes habitudes ou à mes procédés, elle ne s'apercevait pas que ce même sens pratique s'opérait en moi. Nous nous comprenions pourtant facilement : les feintes, toutes les faussetés habituelles et pardonnables de la vie partagée n'existaient pas entre nous, puisqu'elles étaient sans cesse empêchées par cette espèce de prévenance qu'ont entre eux certains oiseaux, et les plus indomptables des animaux. Le désir n'avait été jusque-là pour moi qu'un étourdissement, un vertige de plus au milieu d'une vie déjà assourdissante d'émois. Il devint beaucoup plus : une autre forme de la pensée. Le séducteur toujours un peu vain, tout entier contenu dans l'amant, cédait petit à petit sa place à l'homme épris de recueillement.

J'acceptais de devenir cet être qui, répondant à une mystérieuse demande du corps et de l'esprit, trace d'une main tremblante, et pour la première fois, l'itinéraire de sa vie. J'allai un jour trouver Manon. Je m'entendis lui dire cette chose impensable : restons ensemble jusqu'à la mort.

Tout changea. Je m'initiais à cet ordre intelligent que l'amour, en débordant de la stricte frontière de l'être, jette tout à coup sur l'existence tout entière. Cette irradiation s'accordait avec un printemps qui, cette année-là, décrivait dans le ciel une éblouissante ligne d'or. Je quittais tôt ma maison. J'apercevais de loin celle où j'étais attendu. Un imposant chien noir à longs sourcils y avait ses habitudes. J'appris à marcher droit vers cet animal désobéissant et fier, dont je me fis plus tard un ami. Je partageai longtemps avec lui ses jeux simples, je tentais le plus possible d'atténuer son ennui, qui n'est pas le nôtre, mais celui d'une espèce qui nous regarde vivre. J'observais, selon les jours, ce grand corps tremblant de bonheur, ou, au contraire, affaibli de tristesse. Je comprenais cette mélancolie enjouée. Notre amitié dura treize ans. Je pleure encore la perte de cette bête à la présence si forte, et l'inoubliable impression que me laissait la lourde patte en se posant sur mon genou. Une chienne l'a remplacé depuis, qui l'a peut-être d'ailleurs surpassé en douceur, en perspicacité, en désinvolture. Mais rien ne ternit le beau souvenir du compagnon m'accueillant sur le seuil, conciliant gardien d'un monde où vivait comme en retrait une femme que je ne cesserais plus d'aimer.

Elle n'éprouvait pas ce besoin de précipitation qui m'expliquait en partie, cette impétuosité sans violence, mais excessive, orientant encore aujourd'hui mes gestes les plus vrais. Je sentais qu'il me fallait me dépêcher de vivre. Je me fatiguais vite des croyances que rien ne justifiait, des superstitions, de l'idée toujours lassante d'un destin décidé d'avance, d'un dieu qui ne fut pas au moins un peu mortel. C'était une fatigue ardente, pleine de feu et d'emportement, de détermination et d'indignation, parce que ceux qui cherchaient à me convaincre me faisaient perdre du temps. Je ne voulais pas de ces obstacles qui me détournaient de ma vie, qui assombrissaient mon bonheur et l'expérience proprement ahurissante que je faisais de l'existence humaine. Je m'éloignais des moralistes, des nostalgiques et des êtres vulgaires, de tous ceux en somme qui ne poussaient pas assez loin leur capacité d'observation et de réflexion. Ces formes que prenait la paresse m'ennuyaient trop. Surtout, je ne voulais plus me mesurer à ceux qui décidaient une fois pour toutes que le monde se résumait à quelques règles trop sûres pour être vraies, trop peu recueillies pour être suffisamment réfléchies. Mais je déteste laisser croire que je suis plus vertueux qu'un autre, ou plus mauvais. Simplement, je suis encore inlassablement étonné d'être de ce monde.

Manon m'avait soutenu à l'époque où je n'étais encore qu'un étudiant distrait, familier des livres mais mauvais écrivain, réfléchi mais encore trop attaché à l'impulsivité de la jeunesse. Le soutien d'autrefois, devenu plus tard inutile, s'est à la longue transformé en un bienfait plus pur. Je pris l'habitude de ne m'appuyer sur son bras que par plaisir. Elle fit de même avec moi. Seulement, puisque sa pensée était plus inquiète que la mienne, elle aimait aussi avec plus d'exigence que je ne le faisais. J'apprenais, à l'approche de cet esprit subtil, à accroître ce que ma légèreté contenait de profondeur. En un an, l'amour devint cette coïncidence idéale de deux existences non pas entremêlées, mais comme penchées l'une sur l'autre, ce contact de deux fronts endormis dans un même désordre de songes et de cheveux. Ce frôlement avait sa part d'agitation, sa fièvre. Nous avions nos querelles. Pourtant, même ces détours et ces soudains virages n'étaient pas si vains, menaient encore quelque part.

Une accablante timidité la tenaillait. Cet embarras causé par la présence humaine ne l'a jamais quittée, mais a rapidement pris la forme plus douce de la discrétion, puis de la sobriété. Je me disais parfois que la pression de la vie intérieure, que les suggestions de l'instinct, de l'imagination, que les commandements de l'inconscient, qui lentement élaborent l'attitude et la manière des hommes, façonnent peut-être aussi leur aspect, leur physionomie. J'osais voir sur le visage de Manon les signes de la délicatesse, de la bonté et d'une certaine pudeur que sa gêne avait d'abord laissés en elle, et si profondément que l'âme elle-même semblait avoir été touchée. Je continue de réfléchir à cette possibilité que l'âme, cherchant à se soulever, rejaillit sur le corps, emprunte à la longue ce passage de la matière.

On peut s'évader du corps : les songes où nous nous enfonçons chaque nuit le prouvent bien. Cette invraisemblable réalité, comme soulagée du poids de la vie, ou placée à côté d'elle, est bien celle d'un être libéré. Le rêve n'est d'ailleurs pas seul à tourner sa clé dans cette serrure du corps. Bien des fois, j'ai trouvé que l'amour, et certains travaux suffisamment puissants, ou beaux, avaient ce même pouvoir de nous soustraire à la servitude que nous impose le sang. J'ai observé les gestes méditatifs, lents et ordonnés du menuisier, de l'architecte ou du peintre, tous parfaitement sacrifiés à leur tâche. Rien ne m'a mieux réconcilié avec les hommes que cet oubli de soi-même dicté par leurs propres mains, ces formes que prenaient dans l'action un si évident souci de beauté, et peut-être de durée. Je découvrais alors que si les attitudes pouvaient être libres, c'était précisément parce qu'elles étaient celles d'un corps qui ne comptait plus, ou qui comptait moins. L'esprit ne me paraît pas fait de ce même matériau permettant à un homme d'échapper à lui-même. Même dans le sommeil, dans la contemplation, et jusque dans le culte que j'ai voué à une certaine quiétude, je n'ai jamais senti mon esprit s'oublier, ou se taire : son rôle au contraire était de voir à tout dans ce corps qui quant à lui s'effaçait, pourvu qu'il se consacrât à une tâche supérieure. Sans doute d'ailleurs entre-t-il quelque chose de sacré dans cette idée du corps tout entier dédié à un objet qui le dépasse. Mais j'ai refusé d'entendre dans cet objet l'appel d'un dieu, et n'ai pas plus voulu croire à une autre sacralisation que celle de la chair, de la matière certes étrange, mais tangible, dont le monde est fait.

J'ai cru pendant assez longtemps que mes actes justement me définissaient. Mais ces empreintes laissées dans la pensée d'autrui comme sur mon propre jugement sont trop approximatives. Seule ma soif me cerne avec un peu de vérité. Ce rêve éveillé et furtif que je fais en imaginant pour les hommes une vie différente, moins désespérante, moins en proie à la crédulité, à la grossièreté, à la misère, aux lieux communs et à la violence me dessine mieux que tous mes gestes. Quelle était ma vie il y a dix ans ? Mes parents mouraient. J'étais remarquablement ignorant. Un grand malheur m'attendait. Mais je sentais que quelque chose voulait sans cesse sourdre de moi-même, et que cela n'avait rien à voir avec mes actions, et tout à voir avec ma force et ce feu que j'appelle encore trop gauchement ma volonté. Je me suis interrogé à propos de ce phénomène qui ressemblait tant à un débordement, et auquel je me suis livré presque tout entier. Je n'ai découvert qu'à l'âge de quarante-cinq ans, après un assez long épisode de douleur, que cette sorte de poussée était une joie, la joie simple de me sentir vivant.

Manon n'éprouvait que difficilement cette joie pure. L'ardeur, une certaine démesure dans l'émotion, et aussi une sorte de flânerie précautionneuse parvenaient à lui inspirer un bien-être assez puissant. Mais elle ignorait pour l'essentiel le poignant bonheur de deviner en soi-même la perfection d'un rouage, ce mouvement de fleur que le sang impose, cette suite d'alliances et de phases qui dans le corps reproduisent les grands mécanismes de la nature et du monde. Je la regardais vivre une existence de sculpteur : non pas très préoccupée d'apparences, mais d'expressions, de calibres et de nuances, et cherchant ailleurs qu'en elle-même le moyen de dégager une forme de ce beau granit qu'était sa vie. J'avais de mon corps une expérience passionnée, facile et pourtant grave. Grâce à elle, si j'étais suffisamment attentif, j'arrivais parfois à entrevoir mon âme. Le bonheur de Manon était différent, et s'alimentait à d'autres sources, plus secrètes encore que les miennes, précisément parce qu'elle n'éprouvait pas ce besoin de vigilance presque tragique dont j'avais fait le mot d'ordre de ma vie.

J'ai tourné mon visage chaque soir depuis plus de quarante-cinq ans vers le monde infini des astres. J'y rencontrais les quelque milliers d'étoiles qui ont à jamais illuminé mon front, et dont le tremblement est le même que celui de ma vie. La nuit, je quittais mon lit et j'allais, délicatement, déplacer du doigt le rideau. Le regard se faufilait dans cette brèche suffisamment large pour la pensée, mais trop étroite pour la peur. Je restais un moment à contempler d'impraticables orbites, les indices silencieux et beaux d'un univers ivre de mystères. Le gouffre qui commençait de l'autre côté de ma vitre restait fabuleusement impénétrable. Mais cette heure consacrée à sonder l'éternité d'un monde me rappelait, par contraste, le modeste cycle des saisons humaines, cette provision infiniment plus courte d'avenir que nous sentons s'écouler entre nos doigts. J'ai hésité avant de l'écrire, mais à quoi bon le cacher : j'ai aimé plus que toute autre cette pensée obsédante de la brièveté de ma vie. Elle m'obligeait, par sa force outrageuse, à davantage de courage, d'intelligence, d'avidité et d'amour.

J'ai repris ici un jeu qui m'avait occupé autrefois, et que j'avais fini par délaisser parce que jugé futile. Tout au fond de moi-même, j'étais arrivé à me convaincre que compter les étoiles était l'affaire de l'enfance. À distance de celle-ci, je m'aperçois cependant que ce passe-temps, parmi les plus sérieux auxquels s'abandonne notre émerveillement, est aussi profitable à l'homme mûr qu'au petit enfant. Je me suis souvenu d'une chambre et de l'appui d'une fenêtre où, la nuit venue, un jeune garçon venait s'accouder, le regard levé vers le ciel pour ses sempiternels calculs. Je retrouve étrangement intactes les deux questions qu'il se posait alors en pointant du doigt ces mondes lointains : où cela commence-t-il, où cela finit-il ? J'avais aussi mis de côté ces énigmes, certain qu'elles me conduisaient à une impasse. Je renoue avec elles aujourd'hui comme on le fait avec un vieil outil longtemps égaré, et grâce auquel on redécouvre le plaisir du travail bien fait. Je m'efforce dans cette prison de préserver jusqu'au bout mon aptitude à penser et à sentir sainement. Écrire ces pages m'aide beaucoup, mais je n'y parviens pas toujours comme je le voudrais. Compter les étoiles contribue pour une bonne part à cette santé de l'esprit si difficile à maintenir lorsqu'on n'a plus que soi-même pour juge. L'incommensurabilité du ciel m'apaise : quand j'ai fini de contempler les astres et que je reviens aux choses proches, à un univers fini, bien clôturé, je me sens plus capable qu'avant d'une emprise sur ma vie.

Je restais songeur, mais trop peu inquiet pour douter de l'avenir. Je faisais de moins en moins confiance au hasard pour réparer mes erreurs, et comptais sur ma fermeté pour repousser un peu plus mes faiblesses, sur mon bonheur pour en amoindrir le nombre. Rien ne s'effaçait: le passé avait imprimé en moi, comme en tout homme, son inaltérable blessure, sa griffe de bête fauve. Les chagrins d'hier s'étaient néanmoins adoucis. Et pourtant je ne me faisais pas plus qu'avant à cette idée du temps qui passe, d'un avenir toujours plus dangereusement réduit. La mort pouvait venir: j'étais prêt depuis longtemps à cette rupture de tous les sens d'avec la beauté, le plaisir et la durée, à ce retour au vide. Je refusais toutefois de vieillir, puisque vieillir équivalait en somme à renoncer. L'acquittement que constitue la mort est plus équitable: il est juste de rembourser ce qui fut prêté. Mais je suis encore horrifié par le dépérissement du corps, par ce lent abandon des forces, cette ignoble usure des facultés de perception, d'émotion, de jugement et peut-être de sagesse. Ce sort me sera heureusement épargné. Depuis la fin du procès, lorsqu'il m'arrive, en songe ou autrement, d'apercevoir ma mort, je la vois s'abattre sur un corps qui n'aura pas connu la vieillesse, je la découvre aussi nette et soudaine qu'une chute de météore. Quoi qu'il en soit, je mourrai trop jeune. J'en souffre moins qu'on l'imagine.

Cette existence émue et pensive, reconnaissante à la matière qui la compose, attentive au moindre bruissement d'abeille, n'aura rien eu d'une défaite. Tout y est : la joie patiente, la pensée qui cherche et qui trouve, l'âme observatrice et peut-être organisatrice, l'arrivée, dans la vingt-huitième année, de l'amour et de la constance, l'amitié rare et éblouissante.

Je m'étonne par ailleurs de n'avoir eu que si peu d'ennemis. Je retrace parmi mes souvenirs les moins agréables le visage, et surtout les habitudes de quatre ou cinq hommes que j'ai traités d'imbéciles, ou qualifiés de médiocres, et qui parce qu'ils l'étaient effectivement m'en ont d'autant plus voulu. Quelques-uns de mes traits, par exemple une formidable intransigeance envers la fainéantise de l'esprit, et une sorte d'agitation assez mauvaise devant la trivialité de certaines vues, auraient justifié que beaucoup d'autres encore ne m'aiment pas. Diverses légendes peu flatteuses, d'ailleurs peut-être plus vraies que je ne le crois, ont couru à mon sujet. J'ai sans doute moi-même contribué à la fable en refusant d'être complaisant, docile lorsque la docilité devenait périlleuse, poli quand il fallait mettre de côté mes bonnes manières. Je trouvais excusable qu'on réfléchisse mal ; j'étais moins indulgent lorsqu'on se contentait de réfléchir peu. Parfois sévère, notoirement intraitable dans mes jugements, j'étais parfaitement capable d'injustice. On me prêtait à cause de cela une dureté qui m'était étrangère : j'étais le premier à m'émouvoir, et à tout espérer, d'un homme faisant preuve de bonne volonté. Mais je ne le nierai pas : certains des mensonges me concernant étaient trop proches de la réalité pour que je les récuse tout à fait. Ils n'en restaient pas moins des mensonges, et de ceux qu'on profère avec le plus de facilité, justement parce que certains faits les apparentent à la vérité. L'idée que l'on a des autres est presque toujours déformée par cette tromperie de l'esprit, qui peut-être se reconnaît trop dans ce qu'il voit. Il faut, pour bien apercevoir autrui, lutter longtemps contre un obscur mouvement de la pensée ou des préjugés, qui tend naturellement vers la méfiance. Je ne blâme plus cette sage prudence que pratiquent la plupart des hommes au contact les uns des autres : c'est celle qu'ils adoptent envers eux-mêmes. Je la connais bien : j'en éprouve le besoin depuis cinquante ans, mais à une échelle plus grande, il me semble, que la majorité de ceux que je connais. Je n'ai pas méprisé les hommes. À certaines heures, écœuré, je condamnais amèrement leur vanité, leur vulgarité, leur égoïsme, leur barbarie et leur bassesse d'âme. Mais le moins recommandable des hommes possède encore ses propres qualités. Je n'ai pas trouvé naïf de dire que ces qualités, si elles avaient été un peu encouragées ou, mieux, mises au service du bien commun, auraient pu à elles seules bâtir un monde. Je n'oubliais pas cela. Je tentais surtout de m'en souvenir lorsque j'étais près de succomber aux dangereuses tentations de l'aversion, ou à celles, bien pires, de la haine. Et je me surprenais alors que cette même pensée, qui m'avait prudemment tenu à l'écart, à la fin me rapprochait des autres. J'assistais à ce miracle qui tant de fois m'a consolé des insuffisances de l'esprit, et qui consiste, par la voie de la lucidité, à passer de la méfiance à la compassion.

Soit, mes ennemis étaient peu nombreux. J'ignore en revanche jusqu'à quel point, et surtout pourquoi, j'ai été aimé. J'évaluais toutes choses, puisque toutes choses avaient un poids. Je n'étais pas sûr de peser si lourd. Je me trouvais bien léger au regard de l'imposante cargaison de jours, de panoramas et d'étoiles que rassemblaient le temps, la terre et le ciel. Comme toujours, le monde m'émouvait davantage que moi-même. Je concevais qu'on puisse s'attacher, et même follement, aux nuits et aux paysages, à certains visages, à certains chants et aux songes qu'ils laissent dans l'esprit, et au coussin sur lequel se répand une chevelure aimée. Je comprenais moins qu'on chérisse durablement l'homme qui décrivait cela si pensivement dans ses livres. Oui, je me demandais bien ce qu'on me trouvait. Ce ne pouvait pas être mon visage. Ce front si souvent penché sur une page manuscrite, ou, à minuit, levé vers les étoiles, affichait quelques plis qui n'étaient pas ceux de son âge. Ces yeux comme allongés, à demi ouverts, demeuraient trop méditatifs pour s'intéresser longuement aux modes, aux habitudes humaines. Dans l'ensemble, peu de mots traversaient ces lèvres minces. La plupart de mes gestes ne me paraissaient pas plus dignes d'attention. Les plus sages, qui furent aussi les plus rares, restaient secrets, ou n'étaient partagés que tardivement. Et j'imaginais mal qu'on aime ce corps encore droit mais blessé, ne fonctionnant jamais tout à fait comme les autres et, de ce fait, se plaçant de lui-même naturellement à distance des hommes.

Je me découvrais chargé de songes. J'ai revu celui-ci encore l'autre nuit: un enfant qui me ressemble trouve dans un obscur grenier, recroquevillé, tremblant, le dieu qu'il avait tant cherché ailleurs. Une conversation s'engage, des pensées plus légères qu'on peut le croire s'échangent. Mais toutes les questions posées à ce juge apeuré restent sans réponse. J'ai cherché longtemps pourquoi ce dieu né de mon sommeil, mais en définitive pas moins vrai que n'importe lequel de ceux que s'inventent les hommes, se cachait tant, et restait à ce point chancelant de peur. Était-ce parce qu'il était confronté à un enfant, et que nul âge n'est moins dupe que l'enfance?

La plupart de nos rêves ne veulent rien dire. Ces tentatives toujours maladroites de l'esprit pour réconcilier la vie réelle et l'activité inconsciente restent le plus souvent trop confuses pour être intéressantes, ou même émouvantes. Mais j'ai appris à aimer l'erreur qu'ils commettent en s'éloignant des faits comme pour les expliquer. Souvent, il m'a semblé que la vérité, si une telle chose existe, ne se laissait pas autrement approcher que par ce regard infléchi que l'on pose sur les choses, à la façon, si l'on veut, d'un mirage ou d'un poème.

Certaines nuits, j'observais Manon dormir, et peut-être rêver. Cet esprit d'ordinaire si sobre, mais à présent soûlé d'images, se reposait de l'exigeante marche du monde. L'habituel regard penché, toujours frappé de douceur, devenait sévère : ces paupières fermées étaient un mur. J'étais exclu de cette conscience temporairement devenue folle et jugeant tout à coup le réel insuffisant. La belle tête que j'avais si souvent vue s'appuyer sur mon épaule préférait pendant quelques heures le confort d'un oreiller. Un murmure, un frôlement de la main auraient suffi à faire s'évanouir cet univers fragile, sauvage et savamment déconstruit, que quelques cils baissés séparaient de la vie. Mais je jouais jusqu'au bout mon rôle d'accompagnateur. De l'inexactitude des songes, je passais à la vérité des traits, à la clarté d'un tracé, d'une figure. Une heure se passait encore à suivre des yeux la ligne d'une jambe repliée, à deviner celle d'un front pudiquement caché dans le coude et le sommeil, bel équivalent d'une promesse tue. L'aube jetait à la fin sur ce corps endormi sa couverture d'étoiles pâles. C'est au cours de ces nuits de veille que j'ai le mieux appris à écouter. J'ai accordé au glissement des ombres et à certains froissements de draps plus d'attention qu'à ma vie, et qu'à beaucoup de voix humaines. J'associais le pas du chevreuil qui venait marcher sous nos fenêtres à l'un de ces moments presque parfaits de l'existence. Je compte pourtant assez peu sur la perfection. Mais je n'ai pas cessé de croire en cette sorte d'idéal qui, au milieu de mes nuits d'été sans sommeil, s'en approchait tant.

J'essayais de réfléchir à un autre monde, qui ne serait ni celui des rêves, encore trop apparenté au nôtre, ni celui de la mort, qui ne l'est plus du tout. Mes pensées me ramenaient toujours, cependant, à ce monde-ci. Seulement, j'imaginais pour lui un ordre nouveau, au sein duquel une majorité d'hommes non moins neufs imposerait à l'humanité une ère de calme et de cohésion. Je continuais de croire, pour l'avenir lointain, à ce monde sans dieu qu'une civilisation d'hommes lucides érigerait sur la seule base de sa foi en un idéal de beauté, de sécurité, de force et de confiance. Je regardais autour de moi. Je me disais que cet idéal n'était pas si inatteignable. Je le voyais par moments presque rejoint par des individus capables de mettre de côté suffisamment longtemps les pauvres travaux que leur imposait l'époque, ou leur propre cupidité. Je songeais aux générations à venir, à ces esprits enfin tentés par la véritable aventure humaine, par cette coïncidence sacrée du bonheur et de la volonté. C'était déjà assez de souffrir des iniquités et des inévitables outrances de la nature. Un jour viendrait où le danger et la servitude, sans disparaître, ne seraient plus au moins le fait de l'homme. Ainsi, je ne parvenais pas à joindre ma voix à celle des cyniques et des imprudents qui n'apercevaient dans la faiblesse qu'une transition vers la ruine, et peut-être l'extinction, de l'espèce. Aucune vie n'échappe aux maux de la bêtise ou de la mesquinerie. Je ne voyais pas pourquoi chaque vie ne profiterait pas de leurs contrepoids que sont l'intelligence et la grandeur. Je pratiquais un optimisme prudent : j'avais moi aussi bien des raisons de désespérer de mes semblables, comme d'ailleurs de moi-même. Mes erreurs, mes égarements, mes fourberies, tous les artifices dont j'usais dans ma recherche de la vérité n'étaient pas moins pires que ceux du premier venu. Mais, à force d'ausculter certains de leurs songes, je commençais à connaître un peu mieux de quoi se composaient les hommes.

J'allais marcher avec ma chienne. Je retrouvais avec plaisir la vieille piste serpentant parmi les plantes, le contact élémentaire avec le grand corps incliné de la forêt. Pendant les haltes, j'en profitais pour lire. Clara venait s'appuyer à mon flanc comme on s'adosse à un mur de soutènement. Je sentais au milieu du torse puissant palpiter un monde de griseries simples, de faciles ferveurs. Je m'émouvais de ces instants d'inattaquable confiance que s'accordait cet animal pourtant si peu sûr de lui, si purement préoccupé d'amour. Notre joie toute humaine est celle d'amener le corps à une entente la plus durable possible avec l'exigence de l'âme. Je me disais que, chez les chiens, cette exigence n'était peut-être qu'une affaire à régler entre le corps et lui-même. J'autorisais Clara à s'éloigner, à fureter au hasard des taillis. À distance, je la voyais, dans le jeu ou dans la chasse, se briser, se plier, obéir à un dieu né de sa propre musculature, de la seule force de ces longues pattes. J'avais beau étudier longtemps ces courses, ces bonds, ces creusements toujours un peu vains, et même sonder ce regard presque sans arrêt tourné vers moi : je n'apercevais pas d'âme, rien qui prolongeât ce splendide corps blond.

Le soir, le feu que j'allumais se reflétait dans ces yeux las, sur ce poil rude que les flammes éclaboussaient tout à coup d'ombres et de cuivre. Quelques repères secrets, deux ou trois étoiles personnelles disséminées au firmament me rappelaient que je préférais à ce silence trop vaste du ciel le bruit des poulies, des outils, et celui des pas des hommes sur la terre. Je mettais un peu d'ordre dans mes idées. La question de l'âme me revenait vite en tête. J'ai laissé à d'autres extrêmement moins terre à terre que moi cette idée assez compliquée selon laquelle l'âme serait une entité séparable du corps, immortelle et jugée par Dieu. D'autres pensées plus intéressantes me sont venues.

On me croit double : tantôt écrivain, tantôt homme. L'un et l'autre pourtant vont ensemble, et ne se quittent guère. Mais il est assez vrai que je ne parle à peu près jamais de ce que je mets si volontiers dans mes livres. J'écris presque à chaque page des choses à propos du temps qui passe, du corps, de la pensée, de la joie, des chiens, des étoiles, de la mort, de l'inexistence de Dieu. Ceux qui me connaissent mal oublient trop que ces obsessions constituent la substance de ma vie : j'emporte sous ma veste chacun des astres que j'ai décrits. Seulement, je suis plus discret que mes livres. Je ne suis pas aussi sûr qu'eux. Les sentiments des hommes sont complexes et embrouillés. Tout ce qui fait leur étonnement, leur peur, leur extase ou leur supplice est fugitif, mobile comme un visage. Une infinie variété d'impressions les compose, que l'observation la plus vraie ne parvient pas à infiltrer. La parole, même stricte, même sincère, est encore trop informe et trop superficielle pour servir à les expliquer, et ne peut jamais que les désigner. Il m'a semblé que les livres le pouvaient davantage, précisément parce qu'ils convoquent tout l'être. Je n'ai jamais trouvé dans mon seul esprit, ou par les voies de ma seule sensibilité, les ressources indispensables à mon métier – si tant est qu'il s'agisse d'un métier. C'est avec mon corps tout entier que j'ai écrit. Une intuition aiguë de la présence du monde, une intelligence de la chair, qui sont peut-être les équivalents du talent, se mettent en branle au moment de l'écriture. Je me suis demandé si l'écrivain n'était pas au fond une sorte d'écuyer, qui ne parvient à ses fins que parce qu'il ne fait qu'un avec sa monture, qu'il se fie à l'union parfaite de son corps et de son esprit, à cet ajustage précis de muscles, de souffles, d'élans et d'insoumise réflexion.

Je me suis éloigné des hommes. Je ne leur ai presque plus rien demandé depuis dix ans. Je suis trop semblable à eux : ma fureur, mon aveuglement, mon inconstance, et même ma douceur, ne s'accordent plus avec la leur. Mais on a trop dit à leur propos qu'ils étaient incapables de vivre en paix, libres, sans le désordre et les délires dans lesquels les entraînent leurs dieux, ou leur ferveur. Je n'ai pas cru à ce mensonge. Leurs livres me prouvaient le contraire. Beaucoup ne sont que des parfums. L'écrivain peut se permettre de n'avoir qu'un talent ordinaire, ou une imagination convenue, et même une pensée qui ne fracasse rien. Mais les livres qui ont changé ma vie, ou qui l'ont élevée, ont toujours été ceux dont les pages me faisaient éprouver les effets d'un intime basculement, l'impression que, par eux, je devenais l'observateur de mon âme. J'ai essayé d'écrire de tels livres. Je n'ai réussi qu'à moitié : j'ai chaque fois rencontré les limites d'un talent imparfaitement déployé, et qui ne me procurait que d'assez pâles éblouissements. *La Fabrication de l'aube*, par exemple, m'a toujours laissé sur ma faim. Lorsque, de loin en loin, j'ose en relire quelques pages, je les trouve trop imprécises, trop éloignées de la réalité qu'elles voudraient décrire, celle d'un être survivant à une expérience d'une violence presque surhumaine, et qui le transforme durablement. Il se peut que ces pages-là aient été écrites trop à chaud : j'étais à ce moment encore fort secoué, et je venais de découvrir à propos de ma mort des choses bien étonnantes. Je n'oublie pas pourtant que je témoigne dans ce petit livre si terrible d'une émotion intensément vraie. Son succès foudroyant, les milliers de messages émus que j'ai reçus à son sujet, me suggèrent que c'est peut-être ce que ses lecteurs en ont retenu. Je leur en suis reconnaissant. Mais j'aurais voulu leur offrir davantage.

Je me souviens de ces soirées d'enfance où, vers huit heures, la lumière du jour commençait à descendre sur les choses. Je cessais mes jeux et je m'accordais alors quelques furtifs instants d'une joie plus forte que ma pensée. J'appelais ma mère pour lui demander de partager avec moi ce moment de pure attention. Elle se pliait avec tendresse à ce caprice d'un enfant qui, déjà, s'étonnait et se blessait de ce que la beauté du monde ne suscite autour de lui qu'un intérêt médiocre. J'en voulais à ceux qui, trop en proie aux agitations extérieures, ne voyaient pas le touchant rappel que nous font sans cesse la terre et le ciel. Je ne m'habituais à rien, ni à ce déplacement bien réglé de la lumière sur le monde, ni au sage désordre d'étoiles qu'il annonçait. Presque rien n'a changé. L'enfant s'est éloigné, mais son saisissement se prolonge jusque dans l'homme mûr. J'ai résisté. Je ne le fais plus : je poursuis en quelque sorte l'œuvre de cet enfant. J'ai permis à sa douceur sévère, à sa dureté tendre, de devenir à la longue ma force et de constituer en définitive ce qui m'explique le mieux. Il est trop tard : je ne cesserai plus d'être fasciné par les choses aperçues sur la terre, et par cette vacillation d'un ciel qui, on dirait, ne sait pas à quoi se suspendre. J'ai cherché d'autres thèmes, d'autres motifs, peut-être d'autres bilans que ceux-là dans les livres que j'ai écrits. Je n'en ai pas trouvé.

La maison que nous avions choisie pour vivre finissait par nous ressembler. Elle devenait peu à peu le foyer, l'espace accordant à ses occupants un repos qui est davantage que la paix, un équilibre dont les effets sont plus durables que le simple confort. Je contemplais, de loin, ce beau navire dressé parmi les arbres. J'aimais cette immobilité digne, cet ancrage d'un vaisseau n'appareillant jamais, bâti pourtant pour l'impérieux périple d'une vie d'homme. Bien souvent, la petite véranda servait d'observatoire. J'y attendais, le coude appuyé sur un coussin, la venue de météores, d'oiseaux ou de saisons. J'y ai beaucoup secrètement veillé Manon. Je m'émouvais de cette jeune femme endormie en plein jour sur un divan, abandonnée sans le savoir aux bruits des feuilles et à ma surveillance d'astronome ou d'ornithologue. Je l'observais encore lorsque, plus tard, inspectant le parterre de fleurs, elle étudiait puis rectifiait au passage dans le reflet d'une vitre le pli de son chandail.

Nous vivions là une existence modeste sans être dépouillée, tranquille mais non pas imperturbable. La vie était traversée de ces patients avantages que goûtent les gens capables de se passer longtemps d'autrui. C'est à cet endroit, par exemple, que j'aurai été le plus écrivain, et le moins faiseur de livres : mon désir de plaire, ma précipitation d'autrefois se muaient en une compréhension plus vraie des exigences des mots. Je me mens peut-être, ou j'oublie trop vite. Mais il m'arrive de croire que cette maison est le lieu au monde où j'aurai vécu le plus entièrement, où j'aurai approché de plus près l'espèce d'absolu dont l'âme elle-même est la gardienne, ou la productrice.

J'avais mes présages, mes avertissements, mais je n'étais pas devin. Je ne savais pas que se produiraient en l'espace de si peu de temps deux des grandes épreuves de ma vie. Mais j'ai vécu plus calmement après la mort de ma mère, puis de celle de mon père. Le silence bouleversant qu'ils ont laissé en mourant m'apprend à mieux penser, puisqu'il s'y mêle désormais une part de recueillement. Déjà leur perte n'est plus cette déchirure qu'elle fut un temps, et que j'ai trop cru ne pas pouvoir recoudre. Il se peut que la maison ait été pour quelque chose dans l'apaisement de mon chagrin. J'y retrouvais sur une table le plat de fruits ou le vase de fleurs placés là afin de se souvenir que la vie se poursuivait, que le corps et les sens continuaient de la réclamer. À quatre heures, j'y touchais le rai de lumière dans lequel j'avais vu mon père entrer, un livre à la main. En transplantant quelques pivoines, je me souvenais des confidences de ma mère, embellies de secrets devenus inutiles à taire, mais que je conservais en moi-même parce qu'ils étaient encore ceux de la vie.

J'ai davantage lu dans cette maison que dans toutes celles que j'ai habitées. L'homme qui lit est exposé à tous les vents : il accepte pendant quelques heures de ne plus se fier à ce refuge que sont les objets coutumiers, les lieux et les êtres connus. Mais tout homme, à la fin, se lasse du dépaysement et veut rentrer chez lui. Plus qu'à toute autre époque, j'ai eu besoin de me sentir attaché à une adresse, de retrouver une fois ma lecture terminée l'abri qu'elle me refusait tandis que je n'étais plus dans ce carrefour familier de la réalité et du monde. Le frémissement d'une tenture, le craquement léger d'un mur éclaboussé de lumière me rendaient plus qu'ailleurs cette solidarité des choses.

Je n'ai longtemps jugé les humains qu'à leur âme. Il me semblait que c'était le seul indicateur fiable, la seule part d'eux-mêmes échappant aux codes, aux usages, à toutes ces lignes directrices qui tout à la fois guident et leurrent. Un autre indicateur s'est pourtant peu à peu imposé. Je ne me souviens plus de l'année, mais à partir d'un certain moment, chaque fois que j'ai voulu mieux connaître un homme, j'ai cherché à visiter sa maison. Le chambranle surmonté d'un bouquet de dahlias séchés, la table volontairement placée dans la lumière ou au contraire laissée dans l'ombre m'informaient mieux que le plus sensible des aveux. Les jardins aussi m'ont instruit. Le lilas sous lequel dormait un chat était toujours beau. J'allais m'asseoir là avec mes hôtes. C'était souvent sous les arbres que je voyais la peine des hommes s'apaiser. Je la devinais bientôt se changer en souvenirs, quitter le domaine particulier du cœur pour lentement entrer dans l'Histoire plus générale de la destinée humaine.

Un vieux chat, que les années avaient rendu presque aussi intolérant qu'un sage, partageait avec nous les bienfaits de cette existence. Ernest consacrait une grande partie de sa vie à nous surveiller, à nous évaluer. Il débattait intérieurement de notre prix. Ce tigre né dans le mauvais corps était sans pitié : il traitait avec une incroyable dureté ceux qui ne pensaient pas comme lui. Nous le sentions prêt envers nous aux mêmes critiques, aux mêmes accusations. Il quittait parfois mystérieusement la maison pour plusieurs jours, sans laisser de traces. Puis il rentrait, princier, recommençait à nous guetter, à parier sur le moindre de nos pas, comme pour chiffrer les effets sur nous de son éloignement passager. J'aimais assez cette espèce de rectitude indomptable, cette robuste façon de me sentir jugé. Mes propres verdicts, après tout, pouvaient être pénétrés de la même sévérité : je restais léger, souple, presque toujours joyeux, mais je n'acceptais plus la paresse de ceux qui refusaient de raisonner un peu longuement, ou qui succombaient aux faciles engouements de leur caractère. J'observais mon chat passer sous la table, s'approcher prudemment. Je me disais que l'une des meilleures manières de prendre la mesure d'un homme était non pas de discuter avec lui, ou de lire le livre qu'il a écrit, mais de le suivre à distance, sans détachement mais avec une sorte de renoncement passionné. Et cependant presque tout dans l'homme nous échappe, parce que presque tout homme se dérobe à lui-même. Je m'étonne qu'on accepte si naturellement cette existence de spectre. Je me suis quant à moi efforcé d'y échapper. Je n'y suis parvenu que lorsque j'ai été le mieux capable de consentir à ma fragilité, à mes erreurs, à mes impasses, à ces détours que je prenais pour m'empêcher de souffrir, en somme à tous les dangers de ma condition d'homme.

Je ne sais pas pourquoi j'ai choisi un jour de ne vivre qu'en fonction de ce qu'il y a de plus durable, de plus essentiel dans l'humain. Soudain, je n'ai plus voulu m'occuper que de quelques curieux objets. La pensée, à peine immatérielle, si nettement une continuation du corps, était l'invisible main capable de saisir le monde. L'intuition, le pressentiment, m'ont peut-être davantage séduit : par eux, je m'approchais de l'âme. J'aimais ces loquets qu'on soulève et qui font qu'une charnière se déplie. L'imagination provoquait en moi un mouvement de recul. J'abordais avec retenue cette figure amadouée mais voisine du délire, trop proche du rêve pour être complètement fiable. La volonté me soulevait, me donnait accès à ma force. J'y songeais comme à un arc, par moments périlleusement tendu. La peur me freinait, retardait ce bref instant où la compréhension se transforme en intelligence ; mais ce tremblement était encore une porte qu'on ouvre. La lucidité m'a sauvé de l'ennui. J'ai longtemps vécu sans elle. Ce furent les années les plus accablantes de ma vie, celles qui comptèrent le moins dans l'agencement de mon bonheur, les plus dépourvues de cette joie que, plus tard, j'ai cultivée comme une plante. L'âme quant à elle patientait dans le corps. Je sentais sa présence, sa fabuleuse immobilité. Je m'intéressais à tout cela, qui me conduisait à tout le reste. Cela dure encore. Cette idée que la vie intérieure serait une espèce de socle dévore toute ma pensée. Et il est vrai que plus j'essaye de dessiner l'homme, d'en montrer une image à peu près reconnaissable, ou le moins possible gauchie, plus je m'approche de son centre et m'éloigne de son contour.

L'adolescence n'était pas encore terminée lorsque j'écrivis mes premiers romans. Tous bien sûr ont les défauts plus ou moins pardonnables des premières tentatives. Aucun d'entre eux d'ailleurs ne fut publié, ne prit jamais cette forme presque sacrée que confère le livre aux mots plus longuement mûris par l'expérience. Mais, d'une certaine façon, je m'y discerne mieux, ou en tout cas plus rapidement, que dans mes ouvrages récents, dans lesquels pourtant je crois être presque tout entier. J'y croise déjà l'homme mûr qui regarde la scène, la juge, et s'étonne. C'est au milieu de ces manuscrits maladroits, où manquait le plus important, que sans le savoir je m'exerçais le plus sérieusement à être l'homme vieillissant que je suis devenu. Je ne savais pas encore ce qu'était le courage. Mais j'inventais des personnages intrépides, valeureux. J'ignorais tout de la profondeur de l'esprit, de la force qu'il confère au corps. J'accordais cependant à mes héros une espèce de sentiment religieux, ou mystique, qui avait à peu près les mêmes effets que cette force. Il était trop tôt pour que je sache correctement extraire des circonstances tout ce qui participait de mon destin. Pourtant, chaque homme dans mes histoires était attentif au hasard. Je n'étais qu'un enfant. Mais justement parce que je me situais au plus près des sources, des origines, et que je tenais compte des insistants présages de l'enfance, j'étais aussi peut-être plus proche de moi-même que je ne le suis aujourd'hui, même dans cette cellule où il ne me reste qu'une poignée de souvenirs, un stylo et un peu de papier.

Par moments, je m'amusais à croire en mon immortalité. J'envisageais pendant une heure d'accéder à cette part d'avenir où l'on ne calcule plus selon la durée humaine, mais en fonction du passage des siècles, ou du règne de certaines étoiles. On eut sourcillé s'il avait fallu que je confesse de telles visions. Mais cette folle pensée n'était qu'une autre façon de m'accorder du temps.

Je reprenais mes esprits, et m'imposais de plus modestes vues. J'ai été dans ma vie l'objet de deux ou trois miracles. L'idée me venait que, si cette déjà longue suite de prodiges devait se poursuivre, Manon et moi vieillirions peut-être ensemble. La vieillesse m'effrayait encore. Mais l'esprit se nuançait : je commençais à moins redouter cette période de la vie où les forces physiques manquent, mais où la force du corps justement n'est plus si indispensable parce que l'on n'est plus seul. Je rêvais tout haut d'une floraison tardive : je nous imaginais affaiblis mais obéissant plus purement encore à la perspicacité du corps, à la clairvoyance de quelques songes. Je n'ai pas imaginé d'histoire plus profonde que celle de ces deux êtres décidés à donner jusqu'au bout sa chance à l'amour, et à la durée.

Je ne l'ai pas souvent trouvée malheureuse. Mais elle était affectée d'une espèce de nostalgie, d'un chagrin très léger, inguérissable, et imperceptible pour qui la connaissait mal. La musique, les usages, les inventions de son temps l'attiraient peu. Le passé, une certaine époque révolue lui manquaient, comme si elle avait laissé derrière elle un objet précieux, à jamais perdu, qu'elle ne se résignait pas à oublier. Je m'amusais avec elle de ce regard sans cesse jeté par-dessus l'épaule. J'observais penser, en quelque sorte, cet esprit inquiet qui retournait inlassablement sur ses pas. Je me demandais ce qu'elle cherchait dans cet amas de poussières. Je l'interrogeais. Elle-même ne le savait pas bien. J'interrompais un moment mes travaux. Je songeais un peu plus longuement à ces formes que prennent à la longue dans la mémoire les premiers tremblements, les plus anciens étonnements. Quinze ans m'ont été nécessaires pour comprendre que Manon ne cherchait rien en arrière. Simplement, elle tournait le dos à l'avenir. Elle était attristée par ce que cette hypocrite promesse de temps contenait de vieillissement et, surtout, de mort. Je me suis reproché ma lenteur. Il eut fallu comprendre plus tôt qu'il ne s'agissait pas pour Manon de revivre le passé, mais simplement de le contempler. J'aurais alors mieux accordé mon propre destin avec le sien, avec cette façon émue que, sans le savoir, elle s'était inventée pour vieillir à peu près calmement.

Il y eut la jeunesse, puis l'entrée dans un monde plus beau, les années infiniment plus sûres de la quarantaine. L'esprit depuis peu commençait à sagement oublier ses leçons d'étudiants, les inutiles politesses de l'enfance. Le corps se modifiait toujours, mais en vertu d'autres pressions que celles du temps qui passe : c'était l'expérience, désormais, qui posait sur nous ses mains de modeleur. Nous ressentions enfin les effets d'un épanouissement : les gestes étaient plus assurés, moins imprégnés de cette touchante ignorance des débuts. La pensée se dressait : ce n'était plus le mélange d'opinions et de croyances plus ou moins étriquées cherchant hier encore à s'organiser.

Je regardais Manon franchir ce seuil. Je me rassurais de ce visage à peine vieilli, de cette bouche encore impatiente de poser sur la mienne un baiser, de cette tempe toujours abandonnée sur mon bras dans le sommeil. Je reconnaissais encore la jeune fille de vingt-huit ans qui, pour la première fois, m'avait fait aimer mon avenir, parce que cet avenir tout à coup paraissait compatible avec le sien. Et pourtant, ces traits et ces gestes si subtilement affinés par l'âge redessinaient en quelque sorte tout l'être. Le regard se tournait plus qu'avant vers l'intérieur : les yeux pers, soudainement, reflétèrent moins la couleur du vêtement que l'intensité du caractère. Le creusement presque imperceptible du front témoignait d'une pensée qui s'approfondissait. À mesure que le corps de Manon s'est transformé, sa vie m'a ému davantage. Cette vie devenait en somme plus belle, plus bouleversante, précisément parce qu'elle rompait avec cette espèce d'idéal de la jeunesse qui nuit tant à l'éclosion de la grâce.

Certaines de ses métamorphoses n'étaient d'abord visibles que par l'esprit. Ce n'est que plus tard que les sens les percevraient, peut-être parce que nombre de ces métamorphoses ne seraient plus les simples parures dont les jeunes années revêtent le corps. Je m'apercevais par exemple que j'étais mieux compris, ou mieux deviné : avec le temps, Manon avait appris avec plus de finesse que quiconque à pénétrer ma pensée, cette mansarde qui est presque une église, et dans laquelle entre chaque jour un homme qui ne veut pas se prosterner. Je fus du coup mieux aimé : l'éclairage que l'amour jetait sur ma vie se répandit, puisqu'aucune part de moi-même n'y échappait plus.

Je la découvrais moins troublée. Ses hantises ne la quittaient pas, mais elle ne laissait plus aussi longuement agir ces images indomptables. Sa sensibilité, autrefois ombrageuse, ne l'entravait plus autant et devenait, comme elle doit l'être, un point d'appui sacré. Je la vis s'apaiser, se pencher à nouveau sur un vase de fleurs. Presque tout se rectifiait. L'immense réserve d'adolescence entamée vingt-cinq ans plus tôt se tarissait : la nature à la fin s'accordait avec cette intelligence faite pour la douceur, avec ce caractère trop blessé pour consentir à l'éternel choc de la jeunesse. Je sentais s'achever une ère, des années d'hésitation à déplacer minutieusement devant elle un invisible chevalet, où j'avais cherché à surprendre le meilleur profil dans un sourire, dans ce mouvement de feuilles que les cheveux évoquaient parfois.

Elle se réjouissait de laisser enfin derrière elle quelques années difficiles, d'être parvenue à cette sorte de calme du mitan de la vie. J'avais expérimenté quant à moi cette phase de la vie quinze ans plus tôt. Mais je restais tout aussi tranquille : le temps ne me manquait pas encore, même si je sentais bien maintenant s'ébranler ce grand vaisseau, et lentement quitter un port. Je n'avais pas peur. Comme toujours, ma mort ne m'impressionnait pas beaucoup. Elle continuait d'être cet indolore arrêt de tout, le premier des deux pas que je ferai dans un monde qui se nie lui-même. Et cependant j'arrivais à un moment de ma vie où je ne voulais plus rien gaspiller de mon temps et de ma force, où le moindre manque d'attention au passage des jours me semblait une faute. C'est à quarante ans que j'ai voulu avec le plus de fermeté regarder l'existence en face. J'ignorais presque tout de l'opinion des hommes à ce sujet. J'allais me mêler à eux : je m'invitais dans leurs conversations, au milieu de leurs jeux, j'écoutais le récit qu'ils me faisaient de leurs songes, j'entrais dans leur pensée. La pâleur de leurs idéaux, de l'image qu'ils se faisaient de leur unique séjour sur la terre me scandalisait. J'étais excédé par ces vies où le courage, l'intelligence, la faculté de pressentir, l'attention et le travail étaient si peu consacrés à la beauté, à la joie, et même à la douleur de se sentir vivant. On a vu de l'intolérance et aussi de l'étroitesse d'esprit dans ma colère. Je n'y déchiffrais que les signes d'une soif qui durait depuis l'enfance.

C'est d'ailleurs l'enfance qui a décidé. J'entends encore distinctement les appels du garçon d'autrefois, occupé en moi à trier ses images, attentif à la grande voix pensive du temps. À distance, il me donne ses instructions. Je lui obéis: cette façon d'appuyer la joue sur le poing fermé lorsque je me concentre est la sienne. Son dégoût pour toute forme de servitude s'est transformé, et survit différemment: je le distingue par exemple dans mon refus de prier. Ma pensée surtout doit beaucoup à cet enfant qui, très tôt, s'exerçait à devenir adulte: je sais que c'est dans ses incompréhensions même, ses erreurs de vues, dans son inexpérience qui me faisait tant souffrir que je développais le plus sûrement mon appétit pour la vie de l'esprit. Ce petit être a bien sûr disparu depuis longtemps. Il m'arrive de croire qu'il s'est enfui de moi: ce maître trop ombrageux devait l'exaspérer. Mais en somme l'empreinte de son passage subsiste, comme si, en quittant, ce jeune héros avait laissé un ruban accroché dans la haie. Je ne garde pourtant aucun goût pour l'enfance: je ne me suis pas senti chez moi dans cette époque qui sans me consulter décidait à l'avance de ses effets sur mon avenir, m'indiquait une voie que j'ai suivie mais que j'aurais préféré tracer moi-même.

L'âge adulte m'aura bien davantage ému, en partie parce que j'y ai rencontré les livres. Encore à présent, je les préfère aux hommes. À quoi bon le nier ? J'aurai plus volontiers posé ma main sur une page que sur une épaule humaine. Une sorte de honte m'a longtemps retenu d'avouer ces choses-là. Je n'ai plus autant de scrupules maintenant que je sais combien les hommes peuvent être vains, fuyants, peu sûrs. Leurs livres curieusement ne leur ressemblent pas. Mais j'oublie trop, en disant cela, que les livres sont des lampes : ils ne jettent jamais qu'un halo de lumière sur les existences, y compris sur celles de leurs auteurs. La plus grande part reste dans l'ombre. Quoi qu'il en soit, c'est par les livres que j'ai appris à m'associer à la pensée des autres, à la devancer parfois et, souvent, parce que j'y rencontrais les mêmes bris que dans la mienne, à la juger avec moins de sévérité. Et néanmoins, lire ne m'aura pas guéri de tout : je continue d'être, au moins de façon symbolique, cet amputé qui voudrait que son âme se substitue au membre manquant. Mais, à tout prendre, j'ai eu raison de compter sur mes lectures : chaque page tournée me fortifiait. Cette force accumulée a eu sur ma vie un effet presque aussi grave que celui de l'amour : j'y découvrais de plus en plus la source d'une mystérieuse acuité des sens. Je comprenais que cette acuité, qui n'avait appartenu qu'à l'instinct, était à présent saisie par l'intelligence, et se changeait en lucidité. Lentement, inéluctablement, je devenais par les livres l'homme dont un petit enfant avait pressenti en lui la présence.

J'ai trouvé la pensée plus intéressante que le caractère. Ce dernier n'était au fond qu'une conjugaison assez prévisible de forces, le résultat d'une tension plus ou moins violente entre le sang, la chair et le monde. La pensée ne se contentait pas si naturellement de cette appartenance à la matière. Je sentais la mienne lutter, non pour échapper à cette matière, mais au contraire pour l'intensifier au point de lui donner une suite. Ma comparaison est maladroite, mais j'aime croire que c'est précisément ce que fait la nature lorsque, en avril, elle donne aux arbres le feuillage qui leur abandonnera bientôt un peu de sa récolte solaire. C'est ce que je me disais en observant les arbres : que la pensée devait jouer un rôle comparable à celui que joue entre le ciel et la terre cette roue de transmission qu'est la feuille, qu'il devait y avoir dans la réflexion un invisible fruit sacré, cueilli à même une étoile.

C'est un des mystères de mon existence : j'aurai consacré à ma pensée plus de temps qu'à presque toute autre de mes facultés, même si bien souvent cette pensée m'a leurré. Je ne suis pas arrivé par exemple à songer à ma mère comme à une morte. Je n'ai pourtant plus entendu, depuis dix ans, la voix qui la première m'apaisait quand grondait l'orage. Et j'ai retrouvé dans mes papiers, juste avant qu'on m'enferme ici, une lettre que je lui ai écrite tout en sachant qu'elle ne me répondrait plus. Il faut que je l'avoue : plus j'ai réfléchi à cette mort, et moins j'y ai cru. Je n'ai pas trouvé de façon moins brutale de le dire : cette idée hallucinée d'une morte qui ne cesse de vivre en moi est la seule qui me réconcilie un peu avec tous ceux qui prennent leurs chimères pour des faits. Je leur ai répondu de mon mieux en réfléchissant encore davantage. Et cependant c'était plus fort que moi : en arrivant au cimetière, je posais ma main sur la petite plaque de marbre, puis je donnais à ma mère quelques nouvelles fraîches.

Mais c'est le corps qui au fond me trompe, puisque c'est lui qui dicte ses commandements à la pensée. J'ai consenti au moins en partie à la tromperie de ce traître : c'est sous son action que je suis devenu écrivain, que je me suis mis à inventer un peu de beauté, puisque le monde lui-même en était parfois si cruellement dépourvu. J'ai compris ainsi que c'était de la chair que naissait toute forme d'art, que ce dernier était en somme le résultat d'un instinctif mouvement de recul du corps face à l'insoutenable.

Une fois de plus, j'ai consacré une nuit à l'observation des étoiles. De ma couchette, j'ai vu le ciel lentement se déplacer puis se renverser, accomplir l'éternel et mystérieux mouvement de bascule qui chaque jour fait le monde. Je m'étonne que l'espèce de lucarne qui me tient lieu de fenêtre, que cet espace si étroit dans lequel un homme peut à peine passer l'épaule, suffise pourtant à me faire entrevoir de si vastes choses. L'imagination, au fond, se nourrit de peu : le passage d'un météore, aperçu derrière les barreaux d'une pauvre trouée dans le mur, comble ses besoins. Bien des fois, depuis que j'ai commencé la rédaction de ces carnets, je me suis demandé si l'imagination ne servait pas de contrepartie au raisonnement, dont les vues exigent, pour s'épanouir, de bien plus larges horizons. Le seul avantage que je trouve à ma prison est qu'elle me force à cet équilibre rarement atteint au temps où je vivais sans entraves. Le pâle scintillement des étoiles, magnifié par la rêverie, leur trajectoire toujours plus devinée que discernée, me forment au plus difficile des exercices : m'unir à cet instable point d'appui qui est peut-être aussi l'assise de l'âme.

Je me sentais héberger une présence, dont je devinais confusément qu'elle ne me quitterait plus. Et il est assez vrai que cette ombre, en effet, m'accompagnait partout. Elle bouleversait du même coup ma perception du temps. Quelques semaines avaient suffi à la conscience, non pas pour constater une accélération de ce temps, mais un réajustement de sa trajectoire: tout à coup, je ne fus plus uniquement affamé d'avenir. Je commençais à voir que, tout comme le futur, le passé avait lui aussi ses perspectives et ses ports inconnus, que de ce sol à moitié mort pouvaient encore sourdre de vivaces gerbes. Je m'y intéressai davantage. Mais je refusais encore de succomber à la nostalgie, aux regrets. J'étais à peu près en règle avec le monde, avec moi-même: j'avais fait la paix avec la majorité de mes erreurs, avec un bon nombre de mes manques. Les fautes que je ne me pardonnais toujours pas restaient un objet de lutte, secrète mais assidue. Et néanmoins, ces fautes plus inexcusables ne m'accablaient pas plus que les autres. Simplement, je vivais avec elles comme on vit avec un mal endormi mais incurable, et dont on espère pourtant trouver un jour l'antidote.

Les souvenirs affluaient. Mon histoire, en quelque sorte, se ruait sur moi. Je n'avais pas soufflé sur les braises: c'est de lui-même que ce feu s'était ranimé. J'ai tenté de savoir pourquoi la mémoire s'est éveillée ainsi, et à cet âge où j'étais parvenu. L'idée que je me suis faite à ce propos ne convient sans doute pas à tous. Elle s'accorde cependant suffisamment avec ma vie pour que je ne cherche pas à convaincre le reste des hommes. J'ai fini par supposer que la conscience elle-même, pressentant plus qu'avant toute la brièveté de mon existence, puisait désormais à même cette sorte d'acompte que constitue le passé. Peut-être le temps était-il venu de se retourner un moment et de repérer quelques bornes, de marquer d'un trait ces limites du passé qui sont au fond les mêmes que celles de l'avenir, et que je risquais, à force de les ignorer, d'emboutir à la fin.

Je veux dire encore un mot sur cette idée de brièveté qui, très tôt, a commencé de me préoccuper. Si quelqu'un entrait dans ma tête aujourd'hui, il y percevrait, au-delà du bruissement des arbres, le grondement d'un orage. J'ai toujours su que ce tonnerre, d'ailleurs pas si éloigné, était l'annonce de ma mort. Mais j'ai beau fouiller ma mémoire : je n'ai pas le souvenir d'avoir été effrayé par ce premier des signes importants que m'a envoyé le corps. D'autres de ces signes m'auront bien davantage alarmé : par exemple, cette espèce d'effritement de l'audace et de la ténacité ressenti dans la poitrine, et auquel me soumettait l'absence de l'amour. Ou cette oppression devenue presque une douleur, ce sentiment de lourdeur sur les épaules à l'époque ancienne où je n'avais pas encore fait de ma solitude une alliée. Je me rappelle également l'inquiétante confusion du jugement, la trahison de l'intelligence au moment de la souffrance physique, et aussi du tressaillement de l'âme, comme troublée par le spectacle de cette brisure du corps. Mais j'aurai vécu sans peine avec le sentiment, en définitive plus pur, de ma fin. Ce compagnon fidèle m'indiquait où regarder, où poser les pieds : j'ai toute ma vie marché sans hâte et sans désespoir vers cette fin, attentif à la fausse colère de son grondement. La puissance de ce dernier était quelquefois si marquée que je l'entendais jusque sur la terre ferme. Je l'étudiais à distance, les mains et l'oreille collées au sol, le corps tremblant, non de peur, mais de cette joie étrange de sentir en soi-même le cœur s'accorder avec le profond battement du monde. Je redressais la tête. Je fixais l'horizon imprécis, l'emblématique point cardinal où me paraissait se jouer cette dernière part de mon destin. Mais je m'apercevais qu'il m'avait fallu, pour entrevoir ainsi ce qui m'attendait au loin, bien plus que sonder le vaste enchevêtrement de racines : j'avais dû compter davantage encore sur l'aveu de certaines sources intérieures, sur mes origines. En somme, plus je vieillissais et m'enfonçais dans mon avenir, plus je le découvrais attaché à mon passé. Ce que j'ai espéré m'a toujours mieux tenté que ce que je laissais derrière. Mais on ne se détourne pas si facilement des empreintes de pas laissées dans cette neige qu'est la mémoire.

Je ne veux pas dire que mon histoire était écrite d'avance. Il serait trop facile d'excuser de la sorte les brutalités du hasard. Il est peut-être moins pardonnable encore de lui attribuer nos bonheurs : j'ai préféré à cette mentalité obsédée de fatalité les franches décisions de la volonté. Le hasard jouait son rôle. Mais je m'essayais sur lui aux directives du metteur en scène : je plaçais des acteurs, j'adoucissais ou amplifiais des voix, je rectifiais des postures. J'y arrivais trois fois sur quatre, et j'appelais *destin* ce mélange de circonstances provoquées, de coïncidences déviées et de dangers assumés. Je me maintenais, à bien y réfléchir, dans la bonne moyenne des autres hommes.

Peu de pensées me font éprouver le vertige. L'idée même d'un univers illimité, aux dimensions incalculables, ne fait que m'émouvoir et ne me trouble pas beaucoup. L'éternité, l'inexistence de Dieu, le néant, ne m'ont pas davantage bouleversé : j'ai vécu en bon voisinage avec ces réalités qui ne faisaient qu'alimenter ma réflexion et, plus souvent, mon émerveillement. Ce qui me renverse niche ailleurs que dans la sphère de ces phénomènes somme toute toujours compréhensibles, au moins par l'intuition. Une pensée m'a ébloui jusqu'à me faire chanceler : un seul être m'a totalement connu. Seule Manon s'est à ce point liée à mon destin. Tous les autres sans exception, même les plus aimés, n'ont jamais eu de moi qu'une image partielle, ont coudoyé un homme qui, en vertu d'une étrange pudeur le forçant à ne rien abandonner mais à tout confesser, ne leur offrait jamais qu'un fragment de lui-même. Je ne sais plus très bien à quel moment, et au prix de quelles difficultés, Manon parvint à percer ce bouclier que je me suis forgé avec mes pleurs. Il me semble que ce fut tôt : je revois une année de bonheurs plus faciles, je perçois le frôlement sur ma joue d'une chevelure de femme très jeune, d'une aile. Je laissais cette tête inclinée se reposer sur ma poitrine, cette bienveillance s'attarder aux martèlements d'un cœur trop précocement initié au poids du monde. Sans doute

Manon pénétrait-elle là l'essentiel de mes secrets. Mes ruses en tout cas ne fonctionnaient plus : j'avais beau me dissimuler, protéger de ma main ce cœur ouvert à tous les vents : on me découvrait derrière le rideau, on me forçait à desserrer le poing.

Mais sa seule clairvoyance ne suffisait pas à me sortir de mes refuges. Manon n'était pas comme moi : ses gestes la décrivaient, certains même l'expliquaient. Ceux qui le faisaient le mieux étaient toujours liés aux espérances de l'amour : je m'émouvais de ces baisers sur le pas d'une porte, de ces vêtements choisis pour me plaire, de ces départs retardés, de ces messages griffonnés, laissés sous une lampe de chevet. Je ne résistais plus : je commençai à imposer à ma vie quelques beaux travaux d'élagage. C'est vers cette époque par exemple que je me décidai, après des années d'hésitation, à me débarrasser une fois pour toutes de Dieu. Je n'y avais jamais cru, mais je m'y étais intéressé. Cet intérêt même disparut. Surtout, je ne supportais plus le mensonge, spécialement celui que l'on se fait à soi-même. C'est cette aversion qui, comme on le verra, m'a entraîné plus tard bien loin dans ma lutte à la crédulité et aux superstitions. Je me hâtai également au même âge de terminer mes études, et entrepris enfin les travaux plus exigeants qui devaient me mener au métier d'écrivain. Vingt-cinq ans plus tard, la plupart des effets de ces réaménagements durent encore. Oui, maintenant que j'ai tout le loisir d'y repenser, cela m'apparaît comme une évidence : plus que mes poursuites, que mes longues habitudes, plus que mes réussites, plus que ma pensée et que les livres, ce sont les gestes de Manon qui m'auront non seulement révélé à elle, mais démasqué face à moi-même.

Quelques-unes de mes obsessions disparurent. L'âge sans doute les emportait : il me semblait que l'esprit, que le corps, faisaient à la longue un peu mieux leur ouvrage, qu'ils procédaient à une sorte de lente dissolution de la peur et de l'agitation. Les hantises lentement laissaient place aux habitudes. Manon devenait la plus douce de ces habitudes. Et cependant j'étais toujours poursuivi par la certitude qu'une part d'elle-même me resterait à jamais inaccessible. Je n'arrivais pas à tout voir. Je croyais saisir cette sensibilité attendrie par chaque objet, bouleversée par chaque créature, je m'imaginais bien connaître cette intelligence douloureuse. Mais elles m'échappaient encore. J'étais jusqu'à un certain point exclu de cette attitude peut-être inviolable qui est celle de quiconque considérant longuement les choses. J'arrivais trop tard, ou trop tôt : il ne me restait dans les mains qu'un peu de cendres. Il fallait attendre encore, mettre de côté davantage de temps, épuiser un autre cycle. Personne pourtant ne fut à mes yeux plus désencombré de mystère : tout s'expliquait dans cet être dénué de religion et de vaines espérances. Et néanmoins Manon restait la même, non pas secrète, ni comme moi recueillie, mais débattant intérieurement avec un fantôme, sans doute aussi avec elle-même. Ces ombres ne se mouvaient que pour elle seule. Je n'y fus jamais mêlé.

Nous nous entendions sur presque tout. Mais des mécanismes différents intervenaient en nous. La question de Dieu, justement, que j'avais mis près de trente ans à régler, avait été pour elle vite résolue : je ne crois pas qu'elle ait survécu à l'adolescente convaincue de réalisme, sagement méfiante, élevée dans cette espèce d'élégance de l'esprit naturellement réfractaire à l'encombrement. La réflexion même répondait chez l'un et chez l'autre à des règles distinctes. La mienne n'était jamais qu'un oiseau se posant sur la clôture, auquel deux ou trois secondes de pause affairée suffisaient. Mais Manon savait mieux que moi comment vivre : elle était plus patiente, et consacrait beaucoup de sa pensée à une sorte de repos simple, sans faste, toujours étroitement lié chez elle à l'idée du bonheur.

Il lui arrivait d'hésiter trop longtemps. Je souffrais de ce retard imposé au flot des circonstances, de ces timidités aux effets souvent dommageables et que le temps risquait de ne plus réparer. J'attachais trop d'importance à l'avenir, que je m'efforçais à chaque instant de préparer, et si possible d'allonger, pour accepter de retrouver plus tard les traces presque toujours ineffaçables de l'indécision. Je la voyais douter de presque tout. Un monde assez beau, pourtant, reposait sur ce sol friable. À la fin, j'étais bien forcé d'admettre que cette hésitation qui me contrariait tant jouait dans ma vie un rôle important: par elle, je m'initiais à cette lenteur qui n'est ni du calcul, ni de l'économie, mais une figure plus poignante du discernement. Le temps pris pour soupeser, pour comparer et, peut-être, pour laisser mûrir, était aussi du temps consacré à contempler, à se laisser émouvoir par les choses. Et c'est ainsi que j'apprenais à modérer mon pas, à éviter un peu mieux ces obstacles qui, dans mon impatience, m'avaient souvent fait trébucher. Je n'étais pas moins assoiffé, pas moins fiévreusement disposé à connaître la suite de mon existence, fut-elle plus dure, ou plus sèche. Je continuais à brûler les étapes, je tombais encore. Mais en somme je gagnais du temps, puisque j'en perdais moins à me relever.

J'ai longtemps pensé que le corps se dotait d'une âme afin de laisser en lui-même une trace durable, une sorte d'empreinte fossile témoignant d'un passé dont nous ignorons presque tout, et dont les astrophysiciens nous disent qu'il se situe au cœur des étoiles. Par contraste, j'en suis venu aussi à l'idée que cette âme constitue une représentation, un indice du but que se fixe la chair. Peut-être cette chose incorporelle est-elle l'avenir du corps. Peut-être est-ce cet avenir que nous apercevons confusément en nous-mêmes, cet objet insaisissable qu'à défaut de reconnaître nous baptisons si maladroitement Dieu, en lui donnant un visage et des manières qu'il n'a pas. Je n'obtiendrai aucune réponse, mais au bout du compte je ne suis pas loin d'admettre que le corps, et même que toute matière, ne sont que des structures passagères qu'emprunte la vie, et que celle-ci se destine à la longue à une forme bien plus durable, plus proche d'une quintessence, d'un souffle. Les quelque millions de millénaires à venir nous le diront.

Mon idée maîtresse reste la même : repérer le sens caché des choses. Je le vois bien : chaque pierre contient un peu de la sourde rumeur de la terre, en chaque nuit fermente une aurore, chaque homme remonte à une source. Presque toute ma vie tient dans cette certitude que le monde se continue non pas ailleurs, mais au-delà de ses apparences, qu'il enferme une force. Je ne suis pas certain que cette force périra, même s'il arrive un jour que le monde épuise tous ses matériaux. Si j'ai raison, c'est donc un fragment de son éternité que je porte en moi en abritant une âme. Cela suffit à m'émerveiller, et donc à rejeter toutes ces religions dont le travail, si j'ai bien compris, consiste à saper cet émerveillement.

Je n'ai pas vieilli plus vite qu'un autre. C'est l'inverse que j'ai vu : mon mûrissement fut lent, peut-être parce que, mesurant avec de plus en plus de précision ce qu'il me restait de temps, je réduisais en conséquence la longueur de mon pas. Je suis resté l'homme jeune qui croit encore, dans ses meilleurs moments, à une certaine permanence des choses pourtant les moins durables. Mais je me suis arrêté plus tôt que prévu à certaines étapes. J'ai vu dès l'enfance s'opérer en moi cette secrète conversion qui fait que, avec le temps, les jeux se transforment en pensée. La plupart des hommes apprennent tard à ne plus considérer leur mort comme une menace. C'est dans la vingtième-troisième année que se fit pour moi ce mouvement de bascule, au terme d'une nuit de réflexion plus imposante que les autres. Encore maintenant, ma mort continue d'être le timonier, et parfois la vigie, qui en m'ouvrant le passage m'aide tant à vivre. Je n'ai pas cessé d'être jeune. Mais je l'aurai été plus pensivement que ne l'exige la jeunesse elle-même.

La vie ne me semble pas très différente de ce qu'elle fut autrefois, du moins pour l'essentiel. Le bonheur et la souffrance persistent à s'entremêler, puisent comme toujours à la même source souterraine. Le plus important demeure : manger, boire et aimer, chanter, rire et rêver. Je n'ai jamais décrit les existences dans mes livres sans tenir compte de ces axes se croisant les uns les autres, et composant à la fin une charpente d'homme. J'en tenais compte peut-être plus que tout autre dans ma propre vie. Mais au milieu de cette étonnante stabilité du corps, l'esprit curieusement se métamorphosait. J'ai aimé le sentir se rénover, se modeler sous l'invisible main du hasard, tirer de celui-ci le maximum de ce qu'il contenait d'imprévu et de joie. Je me suis efforcé de soumettre par ailleurs les dangers de ce hasard aux principes organisateurs de la volonté. Seulement, je me suis aperçu que l'esprit avait ses initiatives, qu'il agissait parfois sans mon consentement, comme si l'équilibre trop net que recherchait sans cesse le corps ne l'apaisait pas. Je voyais bien qu'il m'était dévoué. Et pourtant cette dévotion n'était pas pure. Ce n'est pas que l'esprit me trahissait. Je le sentais parfois me leurrer, tenter de me distraire du plus important ; dans l'ensemble, pourtant, il me restait fidèle. Mais il avait ses échappées. Je le voyais construire malhabilement, presque en secret de moi, des théories extravagantes, des mondes inhabitables. Je ne lui demandais pas cela. Il le faisait néanmoins, et je comprenais que de sa manœuvre même gauche naissait cette chose si extraordinairement humaine qu'est l'art. Et je m'émerveillais que de cette rencontre entre un esprit assoiffé, un corps auquel je demandais des comptes et une sensibilité de petit enfant puisse sortir un écrivain.

Je n'ai pas eu de génie : quelque chose m'a manqué pour parvenir à ce degré de patience. Mes dons étaient plus modestes, mais ils n'étaient pas dépourvus de puissance, parce qu'ils découlaient encore d'une autre forme de la patience. Un idéal d'attention minutieuse, d'exactitude, même approximativement atteint, colorait chacune de mes entreprises. C'est dans l'exercice de l'art que je trouvai le mieux la façon d'exprimer cet idéal. Je me développai tôt : le métier d'artiste aura sans doute commencé pour moi à la naissance. Quelques années m'ont suffi en tout cas à devenir un dessinateur assez habile. J'ai griffonné à sept ans mes premiers vrais visages, élaboré mes premières perspectives. Ces figures, déjà, annonçaient quelques-uns des thèmes qui toute ma vie m'ont accompagné : ces petits doigts étonnamment assurés traçaient sur les feuilles des portraits de chiens et d'improbables dieux, dressaient la carte d'étranges cieux étoilés. Il arrive que la lucidité me fatigue. Je cède alors à cette folie de ceux qui voient partout des signes, et je me dis que l'enfant tenant bien droit son crayon s'efforçait peut-être déjà, avec ses images de papier, d'amener à la vie ce destin rêvé que je tente de mon mieux d'accomplir aujourd'hui.

C'est à cette période que les livres vinrent. J'ai tout de suite su qu'ils ne me quitteraient plus. Tout en eux s'est imposé durablement à ma conscience. Je l'ai dit: un certain nombre n'étaient que des enjolivures, de pâles reflets, des calques. Ils n'éclairaient pas la vie: ils se contentaient de l'orner. Je recherchais ceux dont les mots étaient une espèce de serment, ceux qui me laissaient deviner qu'à la fin un parapet, ou une colonne, se dresserait, où je pourrais m'appuyer, me reposer et réfléchir un moment.

À dix-sept ans, j'hésitais encore entre le dessin et la littérature. Je n'ai pas su choisir, et commençai à mettre des images dans mes mots. Cette habitude m'est restée: une phrase sur deux que je couche sur le papier est un croquis, l'esquisse d'un monde. Certains passages de mes livres me font penser à un cahier d'ébauches, dont les mots viennent retoucher le détail. En tout cas, le dessin me laissait sur ma faim. Il fallait poursuivre ce travail entamé par les crayons de couleur, lui donner un sens. C'est en mêlant la voix à l'image que j'aurai le mieux trouvé la façon de faire cela. J'ajoutai au fond une sorte de parolier au dessinateur des débuts, qui très vite avait prévu que ses croquis ne suffiraient pas. Il était peut-être trop tôt lorsque je vis s'éloigner, puis disparaître à jamais, cet enfant pour qui les mots avaient d'abord pris la forme d'un visage reproduit dans un calepin d'écolier, d'un paysage peint sur une page blanche. Mais je songe encore souvent à ce garçon dont la pensée, alors réduite à quelques portraits, fécondait déjà un esprit épris de lettres.

Je ne serai plus très longtemps écrivain. Je demanderai avant la fin qu'on m'apporte quelques craies: je veux revivre le même mystérieux bonheur de sentir sous les doigts le mince résidu de poussière. Les pures images de l'enfance reviendront m'occuper dans la dernière partie de ma vie. Un cycle s'achèvera avec ce retour. Les étoiles d'hier, un moment disparues sur l'invisible ligne de leur orbite, reprendront elles aussi leur place dans le ciel. Je suis comme elles: j'avance sur une ligne imaginaire, poursuivant un avenir à jamais fuyant, un trait.

Mais il est tard, et déjà j'entends qu'on vient me chercher pour le repas du soir. Je reviendrai sur tout cela.

Les mots, c'est-à-dire justement les images, auront joué pour moi le rôle d'une charpente. J'y adossais, puis y fixais quelques-uns des plus solides matériaux de ma vie : cette part de l'esprit qui contribue au bonheur, cette disposition de la conscience pour la beauté, cette infatigable curiosité de chat à laquelle tout l'être souscrit. Mais j'ai songé aussi que je m'étais peut-être au contraire servi des mots comme d'un bouclier, et même comme d'une cuirasse, que j'avais ajusté sur moi cet habit comme on le fait d'un vêtement de fer. Je n'ai presque rien à cacher. Les inviolables secrets que je refuse encore de confier même à l'oreille la plus sûre ne composent en moi que la portion la plus mince. Je n'insinue pas que cette portion ne compte pour rien. Je la sens dépourvue, blessée, mais indispensable. Simplement, elle ne m'explique pas. Tout au plus peut-elle résumer certaines de ces époques turbulentes que j'ai vécues et dont le souvenir a fini par me faire une rampe, un fragile mais bien visible garde-fou. Je me suis beaucoup détaché de ces choses, dernièrement. Mais tout cela continue de ne regarder que moi-même. Je ne consens pas si facilement à cette espèce de mise à nu dont j'ai fait preuve dans certains de mes livres. Et encore aujourd'hui, c'est avec beaucoup de prudence que je continue d'écrire les pages de ces carnets, sur cette table trop étroite, et que tiendront à la fin des mains peut-être moins tremblantes que les miennes.

Lorsque je songe aux centaines de milliers de mots que j'ai pu écrire, à ces pensées sans doute maladroitement défendues mais pourchassées par eux sans relâche, ce n'est pas un écrivain que je distingue. Je surprends bien plutôt, en plein travail, l'ouvrier levé tôt et qui s'est donné pour projet de construire quelque chose. En y regardant bien, je constate que pas plus de deux ou trois idées m'ont guidé dans cette aventure. Tous mes livres se ressemblent : leurs formes diverses déguisent un même motif, la même profonde volonté d'un être que la beauté du monde n'a pas cessé de bouleverser. Mais je ne me suis répété qu'à la manière du maçon qui inlassablement soulève puis scelle ses pierres, et dont le geste mille fois reproduit finit par former un monument qui le dépasse en hauteur et en stabilité. Il me semble surtout discerner au milieu de ce chantier toujours un peu désordonné quelqu'un qui attend. Je n'ai été qu'en partie le chercheur que j'ai dépeint jusqu'à présent : ce que j'ai à dire n'est pas tant le fruit d'une recherche que d'une foi. Ceux qui connaissent mal le pouvoir des mots, qui peinent à imaginer les mondes variés qu'un seul d'entre eux peut contenir, saisiront ce mot même de foi pour me prendre en défaut. Ils m'affubleront trop rapidement de la pensée encombrante des croyants. Ils me décriront comme ces repentis qui à la fin acceptent de s'en remettre à ce mirage d'un dieu, d'une vie autre que celle-ci. Rien pourtant n'évoque plus mal ma foi que cette prévision d'une suite si étonnamment accordée à l'existence. Ma soif est différente de ces pauvres pronostics, de ces dangereux pouvoirs que l'on attribue à la confiance. Elle ne s'étanche qu'au ruisseau courant entre ces deux points sacrés que sont ma naissance et ma mort, brève parenthèse où l'éternité m'a placé en attendant de faire mieux. Certes, j'attends quelque chose ; mais tout ce que j'attends m'arrivera du cœur de cette vie, la seule possible.

À mes quelques idées s'ajoutent maintenant les vues d'un homme qui connaît à peu près la date de sa mort. J'ai toujours écrit comme un condamné : je n'apposais jamais sans une certaine gravité le point final à un livre, puisque je n'étais pas sûr que ce livre ne fût pas le dernier. C'est du reste ainsi que j'ai vécu : je ne me souviens pas d'un soir où je me suis couché avec la certitude d'apercevoir, quelques heures plus tard, une aurore de plus percer ma vitre. Je n'ai rien tenu pour acquis, ni les battements de mon cœur, ni l'humide griffure que laissait sur ma main la fougère ployant sous son poids de rosée. J'ai entretenu cette incertitude quant à mon destin. Je l'ai aimée. Elle me permettait de vivre comme je le souhaitais : en jetant le plus souvent possible sur ma vie un regard neuf. Mais ma condamnation par le juge vient modifier cela. C'est une chose de savoir que l'on mourra ; c'en est une autre de savoir que l'on mourra à l'heure officielle inscrite dans les registres. Les battements de mon cœur et le souvenir du frôlement des fougères m'émeuvent désormais davantage. Il est vrai que le temps de toute façon m'aura manqué pour en éprouver parfaitement l'incomparable douceur. Seulement, je n'ai plus à présent la joie de croire en une aurore de plus. J'accepte de mourir, je l'ai toujours accepté. Je ne trouve pas aussi naturel le fait de ne plus pouvoir espérer.

Je déteste penser que l'on associera ces concepts à ceux d'un désespéré. J'ai cru, je continue de croire plus que bien d'autres sinon en mon propre avenir, du moins en celui du monde. Si je l'ai tant écrit, c'est que je l'ai beaucoup pensé : ce futur, pour peu que l'on accepte l'idée d'un imperceptible mais constant affermissement de l'homme, sera plus beau que le passé. J'ai été incapable de très bien m'entendre avec l'humanité. Mais j'arrive au bout de mes jours habité d'une espèce de fierté : je n'ai jamais perdu ma confiance en elle. On se trompe tristement lorsqu'on la croit trop faible pour survivre à sa propre folie, à sa férocité. C'est oublier tout ce que nous devons à sa force, contenue dans sa faiblesse même, comme un noyau dans son fruit. Sans cette force, la terre depuis longtemps serait vide d'hommes. Je ne m'appuie pas moins qu'un autre sur le passé : tout ce temps révolu jouera jusqu'à la fin son rôle de pilier. Mais la majorité des mots que j'écris sont pour ce qui se prépare. J'ai raconté l'an dernier l'aventure de six enfants impatients d'arriver à l'âge adulte. J'ai tenu, dans ces pages parmi les plus joyeuses que j'ai rassemblées, à ce que l'avenir ne déçoive pas mes jeunes héros. Sortis finalement de l'enfance, ils n'ont pas beaucoup peur, et n'éprouvent que peu de chagrin. Le monde où ils entrent n'a pas cessé pourtant d'être cet endroit accablé de dangers. Mais ils savent que ce monde leur appartient. *Le temps qui m'est donné*, si pudiquement autobiographique, illustre mieux que ne l'aurait fait n'importe laquelle de mes explications cette idée que la suite des choses n'a pas à être indéfiniment une répétition de l'infamie, de l'insécurité, de l'idolâtrie et de la haine.

Oui, tous mes livres se ressemblent. Ou plutôt, tous entre eux s'observent et se corrigent, ajustent chez l'un ce qui se défait chez l'autre. J'ai tenté d'en écrire de moins exactement ajointés. Ceux-là ne furent jamais terminés, parce qu'ils n'étaient pas comme les précédents issus du même infatigable songe. Ils ne me touchaient guère, avec leurs mots qui ne servaient qu'à distraire de la vie qui passe. Je les laissais à leur sort, et me tournais vers un exorbitant ciel étoilé. J'allais poser un baiser sur un front endormi et aimé. Je relisais les philosophes et les poètes. On me trouvait trop grave. Personne cependant n'était moins que moi promoteur d'ombres. Mais je crois comprendre que ma joie n'est pas celle de la majorité des hommes. Je n'y suis pour rien : je suis né ainsi. J'aurai depuis le début écouté les profondes directives de ce maître exigeant que fut mon bonheur. Je me suis longtemps étonné que les gens n'en fassent pas autant lorsqu'ils cherchaient où regarder. Mais, sauf quand ils sont heureux, les hommes à présent ne me surprennent plus tellement.

Les poètes ne sont pas si nombreux. Pourtant, j'ai connu beaucoup de gens qui se disaient capables de poésie. Ce n'était pas à moi de leur enseigner comment faire. Mais ils mélangeaient tout : ils se croyaient artistes, ils n'avaient que de l'imagination. Ils estimaient avoir la sensibilité nécessaire, mais ne faisaient que lutter contre la logique. Ce qu'ils prenaient pour leur vision du monde ne résistait pas à l'examen le moins rigoureux : je n'y rencontrais jamais qu'un système en somme assez faible, que leur dictait une pensée à l'exigence discutable. En réalité, ils ignoraient tout du discret flamboiement de la poésie, qu'ils confondaient avec le désordre toujours aléatoire que leur maladresse imposait aux mots. Ils se savaient malheureux. Ils supposaient que ce malheur leur donnait du talent. Je ne les contredisais pas. Mais je ne m'intéressais pas longtemps à leurs livres.

Un homme se détachait de ce cortège. Quelques mots échangés avec lui suffirent. Nous devînmes amis, et cette amitié transforma ma vie. Le beau nom de Jacques Clermont est toujours en moi comme le bruissement d'une profonde forêt. Ce fut, après Manon, la première fois qu'une rencontre influait sur ma vie au point de l'infléchir, de la forcer à cet invisible travail d'un tronc qui se penche pour mieux exposer ses branches au soleil. J'ai immédiatement aimé ce rire, et cette voix pleine d'une chaleur émue, de mélancolie et d'indignation, tout autant capable de charmer que de montrer ce qui, dans l'âme, demeure pour la plupart d'entre nous impénétrable. Je n'oublierai pas les après-midis passés à sa maison de campagne où nous allions, Manon et moi, marcher avec lui parmi ses fleurs et ses arbres, qu'il entretenait comme l'amour. Sa femme Céline était adorée de lui. Je comprenais cet amour, et son assiduité dans le bonheur, ce sentiment ébloui et inattendu d'appartenir à un monde plus beau que prévu. Je sentais que cet homme plus heureux et plus blessé que les autres avait atteint, en touchant un peu tardivement à ce bonheur, une époque de son destin qu'il avait pressentie mais dont le hasard lui avait obstinément refusé l'accès. Je songeais en l'observant à ces étoiles que l'œil ne perçoit qu'à une heure avancée de la nuit, tandis que le ciel les illumine parce qu'il vacille soudainement. Après le repas, nous descendions au petit lac. Sur la berge, nous frôlions au passage des herbes qui, comme nous, se penchaient au-dessus de l'eau. Puis nous faisions glisser un canot sur cette surface à peine ridée par la discrète nage des castors. Jacques se plaçait à l'arrière et, du mouvement de sa pagaie, assurait la direction de cette embarcation qu'il m'est arrivé de comparer à ma vie.

Je m'émerveillais du poids humain des pages qu'il me confiait parfois, de cette œuvre fraternelle dont j'avais reconnu les signes au milieu de ses confidences, dans le creuset d'une pensée souvent douloureuse mais qu'il ne se résignait pas à délester de son amour. Je découvrais les sources de cette œuvre au fur et à mesure que se dissipaient chez lui les brumes d'un passé qui l'avait fait souffrir, qui sans doute le troublait encore, mais pour lequel il ne blâmait pas les hommes. Je la devinais s'aménager dans ses gestes tendres, qui pouvaient être ceux d'un être inquiet, mais dont le tremblement était apaisé par la douceur d'une épaule aimée, ou l'inflexion d'une voix qui fut longtemps attendue. J'écoutais comme jamais je ne l'avais fait les paroles d'un homme. Je lisais des phrases que j'avais souhaité écrire, et dont la beauté pure me faisait envier le cœur qui les avait conçues.

la pluie
traîne sous la pluie
sa longue queue mouillée...

Parce qu'il aimait davantage que moi les hommes, il en comprenait mieux l'inépuisable besoin d'absolu. J'avais écarté de ma vie ces questions-là. Sans s'en apercevoir il me les ramenait, m'obligeant pendant un moment à réfléchir encore un peu au dieu sur lequel lui-même s'appuyait. Je faisais ce que j'ai toujours fait de mieux lorsque je sens mes certitudes trop mal attachées à ma pensée : je me tournais vers le ciel, je fixais pendant toute une nuit mon regard à l'image éternelle des cinq mille étoiles qui brillaient au-dessus de notre maison. Mais au matin rien n'avait changé : je ne parvenais pas à partager sa foi. Et je m'amusais du hasard qui avait voulu que mon meilleur ami, devenu peu à peu aussi mon maître, fut un croyant, qu'il ait du monde et du ciel cette perception qui ne me disait rien.

Il était de dix ans mon aîné. L'âge pourtant n'a jamais compté entre nous. Je n'ai pas vu l'homme qui me précédait dans l'avenir et dont les cheveux perdaient plus tôt que les miens leurs nuances de terre, prenaient à la longue celles de la cendre. Il ne s'est pas rendu compte de ma vieille adolescence. À cinq heures du soir, nous nous émouvions du même trait de lumière éclairant tout à coup la carafe posée sur la table. Nous avions de la vie intérieure et de la beauté des choses la même curiosité, de l'amour la même inextinguible soif. Les écrits surtout jetaient un pont entre nous. Les siens pourtant différaient des miens. J'y rencontrais presque toujours, emmêlés, la sourde expression d'une joie éperdue, comme retrouvée après une longue privation, et cette atmosphère de maison hantée, ce drame insolite qu'est pour tout homme la difficulté d'accomplir son destin. Un ample murmure, un bourdonnement de frelon s'échappait de ces mots. Mes pages étaient moins obsédantes. Mais elles restaient pensives. Au fond, peu importe tout cela: au-delà des mots eux-mêmes, c'était leur force qui nous unissait. Il maîtrisait cette force peut-être mieux que moi. En tout cas, j'ai souvent trouvé dans ses tournures une autorité que je n'arrivais pas à imposer à mes propres phrases. Je l'imaginais parfois écrivant comme on pose une échelle contre un pommier chargé de fruits. Tel était, et tel est sans doute encore aujourd'hui, cet être curieux de tout, cet humaniste exigeant qui, bien qu'il eût pu cueillir le fruit pendu à sa hauteur, choisissait celui entraperçu plus haut, parmi les feuilles oscillantes et quelques obliques rayons de soleil.

À d'autres moments, je discernais en lui un mal contre lequel il paraissait lutter. Je le voyais non pas détruit, mais soudainement affaibli par les effets d'un long face-à-face, d'une rencontre avec une part de lui-même qui l'effrayait. Je ne me mêlerai pas d'expliquer cette douleur si universellement ressentie et si imparfaitement comprise: mon avis sur la question n'est pas plus fiable que toutes les théories plus ou moins plausibles qu'échangent ceux qui prétendent démêler les mouvements de l'âme humaine. Mais je connaissais ce sentiment de l'imminence d'un danger, qui est peut-être celui de toute conscience capable d'apercevoir sa mort. Je l'avais éprouvé aussi, puis j'avais appris à le dompter. Je n'ai pas aussi bien réussi avec d'autres de mes peurs: celle, par exemple, que m'inspire la disparition de l'amour me hantera jusqu'à la fin. Jacques cependant demeurait une sorte de proie pour lui-même. Tout à coup, l'homme robuste qui, autour de la maison, avait soulevé tant de pierres, ne savait plus comment descendre l'escalier du jardin. Ce caractère si doué pour la joie s'assombrissait. Un cyclone rugissait au loin, qui apportait sa nuée de pesantes chimères, d'inquiétants fantômes.

J'ignore combien de temps lui était nécessaire. Mais je le retrouvais un jour installé sous les arbres, m'invitant à boire l'un de ces vins qu'il aimait tant. Sa gentillesse me rappelait parfois celle de mon père. Je me taisais alors plus que d'habitude. Je pensais au vieillard aujourd'hui couché sous la terre, à qui j'avais à peine eu le temps de dire ces pauvres mots: merci, adieu, ne crains rien. Heureusement, ces pensées toujours plus douloureuses que je ne le souhaitais ne duraient pas. Je relevais la tête. J'observais Jacques se consacrer de nouveau à son bonheur, et me réjouissais de la gaieté d'un homme redevenu léger, détaché et pourtant attentif comme s'il assistait au coin d'une rue à quelque jeu d'enfant. La maladie, et le long séjour qu'elle m'obligea jadis à faire au chevet de ma mort, m'ont hélas fait oublier beaucoup de détails. Mais le tri qu'a fait ma mémoire m'émeut peut-être davantage que ce que j'avais moi-même espéré retenir. Je me souviens mieux que de ma propre vie des gestes et des propos de cet homme plus avisé que certains sages, qui ne sont que prudents, et dont l'attitude principale est de tout aplanir, même la ferveur, même l'enchantement. J'aimais cet ami discret, et assez généreux pour ne parler de lui qu'à la condition que cela lui en apprenne un peu plus sur l'autre. Je m'étonnerai toujours de la conduite trop répandue qui consiste à bouder cette sorte de modestie si indispensable au contact humain, à sa floraison. On parle beaucoup de soi. On évoque bien peu ce qui, en soi-même, ressemble aux autres hommes, et les rassemble.

Et pourtant c'était un solitaire. Je l'ai vu pendant presque vingt ans se mêler aux gens à la façon d'un spectateur curieux mais aux gestes mesurés. Il s'approchait, mais étudiait intérieurement ces usages, ces codes, ces modes qui ne sont jamais que des masques, et l'éternel jeu des relations humaines formant parfois si durement la vie en société. Je ne sais pas s'il a eu le choix. Il se peut qu'il ait ressenti comme un besoin vital cet interstice qu'il mettait entre lui et le reste des hommes. Il m'aurait été nécessaire, pour le vérifier, de disposer d'un peu plus de temps. Ces vingt années ne furent rien: on ne connaît pas si vite une âme aussi pourvue d'avenir. Mais j'en sais suffisamment pour mesurer ma chance. J'aurai suivi auprès de lui une piste étonnante, jusqu'au bout entretenue. Surtout, d'avoir eu le privilège de partager sa solitude m'aura presque autant soulevé que l'expérience même de l'amour, qui n'en est d'ailleurs pas si éloignée.

Tout n'est que traversée, que franchissement. C'est pourquoi sans doute les yeux m'ont tant séduit. On prétend beaucoup qu'ils sont des fenêtres, ou des lacs. On s'accorde à dire, un peu vite, qu'ils s'ouvrent directement sur la vie intérieure. Certains y ont vu flotter l'image tremblante de l'âme. Je n'ai rien repéré d'aussi précis dans les yeux que j'ai sondés, et même dans ceux que j'ai plus passionnément aimés. Rien de cela n'y était si proche. Mais j'y empruntais un passage, j'y entamais une intime traversée, qui d'ailleurs ne me menait pas toujours là où je croyais aller. Les yeux ne m'ont rien appris de net : tous me laissaient deviner une étrange et inatteignable présence. Je ne suis pas sûr que l'âme seule fût au bout de ce corridor. J'y pressentais plus que cela. C'est tout l'être qui me semblait se loger au fond des yeux.

Ceux de Manon étaient changeants, animés d'une pâle lumière. Je me suis demandé si ce mélange de vert, de gris et de bleu existait ailleurs dans la nature. Je n'en ai trouvé l'équivalent que sur la belle courbe lisse de certaines pierres, rejetées parfois sur les plages par la mer. Ce furent, à part les météores que je comptais, les seuls objets que j'ai contemplés à m'en brouiller la vue. À bien y songer, telle était bien ma quête : observer de mon mieux ce qui tombait du ciel, et toucher ce qui montait de la terre. Mais les météores n'étaient pas qu'au ciel : j'en ai vus d'étrangement terrestres, fugitifs comme des idées, parcourir les yeux de Manon. J'allais la surprendre au milieu de ses réflexions. Son regard tout à coup changeait, passait de la couleur du crépuscule à celle de l'herbe, puis encore à celle d'une feuille traversée de soleil. Des images me revenaient. À peine sorti de l'adolescence, j'avais tout quitté pour parcourir à pied l'Amérique. J'ai tout vu de ce continent, le plus jeune des cinq du monde, où surgissent pourtant des montagnes millénaires, et où s'alignent des plaines, des déserts et des fleuves plus anciens que toutes pensées. Mais mes plus beaux dépaysements, je les ai connus sur le fauteuil où j'allais interrompre les rêveries de ma compagne. La douceur à peine supportable de ces yeux que je voyais soudainement se poser sur moi valait bien la stupeur, et parfois l'éblouissement, que j'avais éprouvés devant certains paysages aperçus à vingt ans.

L'espèce humaine reste parfois bien grossière, primitive. Bien sûr, nous ne sommes pas si simples à saisir. D'infinies particularités s'imposent à l'esprit qui se hasarde à expliquer ce qu'est un être humain. Et cependant quelques mots le résument : apeuré, vain, égoïste, violent. Chez un nombre infime d'hommes, d'exceptionnelles qualités de compassion, de courage et de profondeur affleurent. Mais presque tout reste à faire, et à penser. Ma propre image ne diffère pas beaucoup de ce pauvre portrait. Je n'y rencontre qu'une seule différence : je n'ai jamais été tenté par la violence. Je continue d'être dégoûté par cette insulte faite à la conscience, et à l'avenir que cette conscience a la responsabilité de préparer. J'ai répondu à la violence par d'autres moyens que ceux, toujours imbéciles, qui dans le corps compensent la peur par la brutalité. Plus de vingt ans vécus auprès de Manon ont renforcé en moi l'idée que l'humanité n'est pas faite pour cette posture animale, et s'en détachera un jour. On me trouvera démesurément confiant. Mais je ne connais pas d'autre façon de construire un monde.

Cette assurance, je la puisais au moins en partie dans les yeux de Manon. C'est l'une des dernières choses que je ne sais pas encore bien exprimer avec des mots. Je ne peux dire que ceci : quand elle m'observait, j'apprenais à ne pas avoir peur de moi-même. Sa façon de me regarder était ce que la vie m'offrait de plus réparateur. J'avais développé dès l'enfance une méfiance assez nuisible envers certains traits de mon caractère ; celui entre autres qui consiste à sans cesse exiger de moi-même de ne m'habituer à rien, de n'agir qu'en fonction d'un minimum de préjugés, m'avait effrayé pendant un moment. Je finissais par trouver inquiétant ce trait qui trop souvent me séparait du reste des hommes, me privait du réconfortant voisinage des routines. Même de loin, même imparfaitement, ce que je distinguais dans les yeux de Manon calmait mon inquiétude. Cette douceur me réconciliait avec ma solitude, mon sentiment de ne jamais appartenir tout à fait à la race de mes semblables. Je n'ai pas assez dit que ma joie venait la plupart du temps de la beauté d'une paupière un instant fermée par le frôlement de mon baiser. Même clos, ces yeux me disaient encore quelque chose.

Une part considérable de mes pensées est consacrée au chagrin que j'ai causé. Je ne prétends pas me disculper: j'accepte le verdict qu'ont prononcé mes juges, qui furent aussi souvent mes victimes. Ils ont raison, je le sais. Ma sentence sera d'entendre jusqu'à la fin les pleurs de ces gens que je heurtais, de transporter partout où je vais les fragments de ces sensibilités que je brisais. Il est vrai que je ne fus pas toujours pleinement coupable: une sur quatre des tristesses dont je suis responsable était de toute façon inévitable. Mais je n'aurai pas l'indécence d'affirmer que le fait de les avoir provoquées fut pardonnable, que les effets de certaines d'entre elles ne se font plus sentir aujourd'hui. Et je n'insulterai pas ceux qui souffraient à cause de moi en leur disant que j'ai souffert tout autant qu'eux. J'ai souffert à ma façon. Je veux simplement dire un mot sur ma difficulté à vivre avec les autres, à régler mon pas sur cette marche des hommes qui ressemble trop souvent à une déambulation, une errance. J'ai toujours eu les yeux fixés sur un objectif, flou sans doute, mais qui ne me paraissait pas être celui, plus vague encore, que poursuivait la foule. La plupart de ceux que je rencontrais se préoccupaient par exemple assez peu de ce futur lointain auquel je réfléchissais sans cesse. Cette question du temps, dont j'ai tant débattu, m'a d'ailleurs valu de leur part pas mal de reproches. J'ai refusé devant eux d'admettre que, le passé n'étant plus, et l'avenir n'étant pas encore, rien n'existe que ce qui nous occupe aujourd'hui. Mon chien pense comme cela, enfermé dans l'étroite cage de son esprit de bête. Je sais la pensée humaine capable d'autre chose. Aussi, ceux qui m'imaginent insensible aux règles de la vie en société me jugent mal. Le peu que j'ai pu expliquer dans cette salle de tribunal surchauffée leur aura fait croire à une sorte de désertion de ma part. Et pourtant je ne fuis ni rien ni personne. Simplement, je suis seul. J'ignore tout des causes de cette solitude. Il m'est arrivé de me dire que je la choisissais, mais le mouvement de recul naturel que j'avais presque toujours face à un être humain me convainquait finalement du contraire. Ma fascination pour les âmes et les idées, même fausses, n'y changeait rien, pas plus que l'émoi si souvent ressenti en reconnaissant chez autrui le même alphabet malhabile rapporté de l'enfance, et que chaque homme utilise pour se décrire. Je ne veux pas qu'on suppose que je me préfère aux autres. Il faudrait pour cela que je m'aime plus sûrement, et je n'y arrive pas. Je ne hais pas l'homme que j'aperçois dans le petit miroir fêlé de ma cellule. Mais je le trouve tour à tour trop grave et trop naïf, trop superficiel et trop sérieux, incapable d'une réelle emprise sur les choses. Je m'épouvante à l'idée d'y distinguer à la fois la maigreur du pauvre et l'enflure du riche, les durs traits de l'affligé et ceux infiniment plus doux de l'apaisé, comme si son destin n'avait été qu'un objet léger, transporté au gré du vent. Je m'indigne de n'être pas assez doué pour dissimuler la portion sombre de son histoire, et si imparfaitement apte à en louer le bonheur, à l'élever encore un peu, comme se doit de l'être tout bonheur. À mes heures de plus grande honnêteté, j'arrive à presque tout comprendre de ma vie. Il me reste peu de temps pour parvenir à cette même compréhension de mon être. J'ai réfléchi à cette particularité qui me rend habile à dresser des autres un portrait exact, mais qui fait que j'ai de moi-même une image confuse et contradictoire, proche des ébauches obscures que le petit garçon que j'étais traçait sur le papier. Une partie de moi m'échappe, qui me devance ou me poursuit, que j'essaye toujours de rattraper, ou de retrouver, mais dont la réalité est trop changeante pour que je l'agrippe et la garde. Plus jeune, j'ai cru que ce fantôme insaisissable était mon âme, puisque cette âme, après tout, n'était jamais qu'entraperçue. Mais l'âme est immobile. Je ne sens pas qu'elle m'évite. Il y a forcément autre chose. En vérité, je commence à consentir à l'idée que je ne me connaitrai pas tout à fait. Je manque du recul nécessaire à l'évaluation des gestes même les plus courants: ces doigts tenant quotidiennement le stylo depuis trente ans, cette main si souvent passée dans les cheveux de Manon, ces pas me menant de plus en plus à ma mort, et dont je m'efforce dans ces pages de retracer l'empreinte, ne suffisent pas à me dépeindre à mes propres yeux. Mes contours restent vagues: je m'y vois comme à travers l'eau sans cesse troublée par le jeu d'un enfant lançant ses cailloux plats sur l'étang. Je ne suis pas même certain de toujours bien apercevoir mon centre: un cœur bat indéniablement dans cette poitrine, mais je ne sais pas bien si l'accélération parfois brusque de ses martèlements est due à ma joie, à ma solitude ou à mon âge. Peut-être aussi est-elle une autre manifestation de la mémoire, la trace plus ou moins indélébile laissée en moi-même dès lors que j'ai causé du chagrin. Ce n'est pas que mon passé soit si lourd de crimes. D'autres que moi en ont commis de plus cruels, qui dessinèrent de plus durables plaies. Mais des ombres glissent sur ma vie. Il m'arrive de croire que c'est surtout par la relative épaisseur de ces ombres, qui sont nos regrets, que l'on juge le mieux un homme.

Je tâchais de faire le tri dans ces regrets. Mais je m'apercevais qu'on ne peut guère classer ainsi nos fautes : toutes sont graves, et pratiquement aucune n'est réparable. La plupart pourtant me hantaient peu : même si chacune avait son poids, j'avais appris à vivre assez calmement avec ces entraves, ces solides attaches qui me retenaient au passé. J'étais marqué comme le sont ces oiseaux libres, mais retrouvables, auxquels on fixe une bague à la patte avant de les délivrer de leur cage. Je n'étais pas blessé dans ma chair : je l'étais dans ma réflexion, dans mes songes et jusque dans mon imagination, puisque je retrouvais dans beaucoup de mes perceptions, de mes images et de mes travaux d'écrivain l'empreinte de mes erreurs d'hier. J'étais devenu familier de cette empreinte. Je le suis chaque jour davantage. Depuis le temps, elle ne me gêne plus guère. Mais je ne me suis pas pardonné. Bien des fois j'ai voulu tout effacer, rompre avec cette part de mon histoire trop faite d'égarements, de trahisons et de faiblesses. J'en aurais été capable : j'avais eu la force nécessaire de participer à d'autres combats autrement plus durs, plus compliqués aussi. Les constants efforts consentis pour la consolidation de l'amour, pour le développement d'un jugement sûr ou pour l'atteinte de certains grands objectifs essentiels à l'être ont porté leurs fruits : à la longue, il me semble que je deviens celui que je veux être. Mais je ne résiste plus : j'ai accepté de vivre avec le persistant bruissement de voiles que ces fautes du passé répandent autour de moi. De toute manière, je ne crois plus souhaitable de les ignorer. La plupart me servent : de part et d'autre de la longue passerelle de souvenirs qui s'allonge entre mon passé et mon présent se dressent ces espèces de garde-fous. Je m'y heurte à intervalles réguliers. Ils font bien leur travail : ce sont eux qui m'empêchent de tomber ou de m'écarter du chemin que je tente de mon mieux d'ouvrir sous mes pas.

Je commettrai d'autres erreurs. Je m'y prépare. Le manque de temps ne me met pas plus qu'avant à l'abri, et un instant suffit à broyer une pensée honnête, à déchirer le muscle bandé par l'effort. Mais j'ai refusé d'admettre que certaines de ces fautes resteront complètement inutiles. Les plus graves me serviront de levier. Je l'ai dit : je n'excuse pas mes crimes. Le plus souvent, je les ai perpétrés en sachant que je me trompais et qu'ils allaient pour un temps troubler un cœur, un esprit, une âme, un destin peut-être. Cette dureté me ressemblait au moins un peu. Elle n'était pas l'envers de ma bonté et de ma douceur : elle n'en était que l'ombre, que l'épaisse nuit qui les poursuit, ou les conduit. Seulement, beaucoup de mes erreurs m'ont soulevé. Elles m'ont obligé à me redresser et à voir au loin. Cela ne m'a pas rendu meilleur : je continue d'être le mauvais élève à qui le malheur n'enseigne rien et qui ne compte que sur sa joie pour apprendre à vivre. Mais je regarde au loin, et c'est déjà beaucoup.

Il arrive d'ailleurs que je n'aperçoive rien. J'ai tenté par bien des moyens de distinguer l'avenir, de toucher à cette matière fuyante du futur, qui est toujours un peu celle des songes. J'y parvenais, non pas à la façon stupide des astrologues et des voyants, mais au contraire par un effort accru de la lucidité et de la compréhension. J'avais peut-être quatorze ans lorsque je me suis dit pour la première fois que prédire l'avenir, c'était en somme en comprendre les sources. C'est l'une de mes plus vieilles idées. Elle ne m'a jamais quitté et, précisément parce qu'elle m'est venue très tôt, presque toute ma pensée en découle. Par moments, j'ai prédit assez exactement ce qui m'attendait. Ça n'avait rien de bien surprenant : il ne s'agissait après tout que d'étudier avec suffisamment d'application et de raison le passé, si occupé à dépeindre le présent, lui-même friable mais recevable parcelle d'avenir. Je me suis émerveillé de voir dans le passage du temps non pas une intention mais une poussée de la matière vivante, comme s'il y avait dans la nature un passage obligé vers je ne sais quel futur. Quoi qu'il en soit, j'ai toute ma vie songé au fait que ce futur se préparait d'ores et déjà au creux de la chair, au fil des circonstances, éternels fruits de la volonté et du hasard, et qu'il était par conséquent au moins partiellement perceptible. Pourtant, oui, il m'arrive de ne rien discerner de mon avenir. Ou plutôt, il m'arrive de n'y voir que ma mort, aveuglant soleil qui me force à détourner un instant les yeux. Et il est vrai que cette mort occupe dans mon esprit une place considérable : je n'ai pas poussé l'obsession jusqu'au calcul, mais il me semble assez exact de dire que je consacre à ma fin au moins un tiers de ma réflexion. Je ne cherche plus à expliquer cette habitude d'un homme qui depuis toujours s'est senti en contact avec sa mort. Ce spectre somme toute assez calme, marchant à mes côtés, a cessé il y a longtemps de m'inquiéter.

Lorsqu'on me reprochait de trop m'attarder à ces choses, je répondais que je ne voyais pas pourquoi la mort devrait être niée, et comme soustraite à notre curiosité. J'ai peu compris ceux qui refusaient de faire de leur mort un sujet de conversation comme les autres. Je les observais se tordre les mains lorsque nous l'abordions. Ils me croyaient masochiste, et dangereux. Je n'étais qu'un peu plus curieux que la moyenne. Je continuerai sans doute de rester calme devant ma mort. Je ne crois pas que le fait d'y réfléchir si souvent, et d'en imaginer même les premiers signes, explique cette absence à peu près totale d'inquiétude. Simplement, je porte ma mort en moi, et rien de moi-même ne me fait peur. Je ne suis pas toujours courageux : le monde m'inspire mille craintes. Mais ma pensée, mon émoi, mes inclinations, le peu de durabilité même de mon corps n'en éveillent aucune.

J'ai toujours aimé l'idée de m'en aller les mains vides. C'est l'un de mes souhaits qui a le moins changé : celui d'une entrée dans la mort la plus légère possible, débarrassée des lourdeurs du voyage. Je n'ai trouvé nulle part d'arguments assez convaincants pour renoncer à ma conviction que mourir est une expérience de plus. Au point où j'en suis, il serait étonnant que je cesse de considérer cette expérience pour ce qu'elle est : la plus pure approche de la légèreté. Je veux mourir en accord avec ce sentiment que j'ai développé pendant près de cinq décennies, que la mort est un élan. Que cet élan ne soit suivi d'aucun bond en avant, d'aucun atterrissage, en somme qu'il ne serve à rien, ne me contrarie nullement. Sa subtilité, que je n'imagine jamais très différente de celle d'un parfum ou d'une pensée, me suffit bien.

Mais j'ai repoussé de toutes mes forces l'opinion voulant que mourir légèrement signifiait tout régler à la dernière minute. Je concevais autrement ma sortie. J'écoutais ce que les gens disaient de la leur. La plupart ne se souciaient en rien de ses préparatifs, comme s'il s'agissait d'une banale promenade en ville. Ils projetaient de l'entourer, le temps venu, d'une série de manœuvres d'urgence, et espéraient que cela suffise à remettre en ordre une existence le plus souvent marquée par l'agitation. J'ai préféré à ces mesures tardives l'étalement de mes préparatifs de départ sur toute la longueur de ma vie. J'ai fait autant d'efforts que pour l'amour dans ce bel apprivoisement de ma mort, dans le long apprentissage d'un corps condamné au dépérissement. On me croyait fou. Pourtant, ce n'était pas mourir avant l'heure que de mettre ainsi en perspective la joie et le plaisir de se sentir vivre, que de reconnaître humblement l'idée même de sa propre brièveté. Aussi souvent que je l'ai pu, je suis retourné à cette façon de penser et d'agir. Je ne nie pas que le temps qui passe ait son effet de déboisement. Mais j'avais, en songeant presque chaque jour à ma fin, la certitude de semer quelque chose. De ma vie, de ce sol caillouteux où j'ai souvent trébuché, sont sortis à la longue cette compréhension grave que j'ai aujourd'hui des êtres, et mon calme relatif devant l'impénétrable. Je ne regarderai pas derrière moi au moment de mourir. Cela ne m'empêchera pas de sentir sur mon dos l'ombre du grand arbre sur lequel mûrissaient ces choses.

Il n'y aura rien à voir devant non plus. Je garderai si possible les yeux ouverts mais, pour la première fois, le regard ne trouvera rien à aimer, à étudier ou, comme il l'a fait si souvent, à façonner. L'avenir, et ces pas que je faisais l'un après l'autre dans sa direction, tout à coup s'interrompront. Non, je n'ai pas voulu réfléchir à la mort, et même m'en approcher, autrement qu'en me souvenant de cette certitude très tôt apparue dans ma vie : *il n'y aura plus rien*. Il le fallait bien : j'ai eu beau chercher, écouter, me recueillir, rien ne m'a prouvé que ceux qui meurent continuaient à vivre dans un autre monde. Beaucoup pourtant croyaient cela. J'ai exigé des preuves, au moins des indices, les prémices d'une réflexion à peu près structurée. On me répondait que la réflexion ne prenait que peu de part dans ces choses-là. C'était une réponse surprenante, bizarre, mais j'acceptais alors de les questionner différemment, de me rabattre sur leurs pressentiments, sur les émotions ou les perceptions qui les poussaient à croire que le corps ne s'éteignait pas un jour tout à fait, et qu'une autre réalité prenait le relais après le trépas. Mais rien ne sortait de nos conversations. Comme d'habitude, ces amateurs de spectres, d'ombres et de signes s'étouffaient dans leurs fables. J'ai mis du temps à renoncer. Puis j'ai fini par ne plus poser mes dangereuses questions.

J'utilise de moins en moins l'expression *entrer dans la mort.* Je ne résiste pas toujours à la beauté de l'image qu'elle évoque, mais cette image est fausse. Je n'entrerai nulle part. Je ne ferai que redonner au monde la matière essentielle qui s'était pour un temps assemblée afin de me former. Le plus étonnant aura été que ces quelques éléments de base somme toute assez simples aient pu produire à la longue de la pensée, des émotions et des rêves. On ne s'étonne pas, pourtant, d'une plante qui croît, d'une eau qui gèle. Et cependant cette poussée est bien le fait d'une matière qui se transforme. Au fond, je vois mal en quoi les lois essentielles de ma propre substance pourraient différer de celles régissant la lente conversion des végétaux, ou le soudain durcissement des rivières. En définitive, mes songes, mes idées, mon âme même, ne sont qu'une autre des innombrables expressions de la vie.

N'empêche : l'esprit se trouble à la pensée d'une disparition aussi radicale. Je me répète cette phrase naturelle et néanmoins bien peu faite pour moi, la plus étrange et la plus vraie de celles que j'ai prononcées : Jean-François Beauchemin un jour n'existera plus. Je n'ai pas peur ; j'éprouve surtout du chagrin à l'idée de fermer les yeux pour toujours, moi qui ne voudrais vivre que pour les garder ouverts. J'ai repensé à cet insecte qui ressemble à une petite libellule, dont l'adulte vit à peine quelques heures, tout au plus quelques jours. Il n'est pas question de comparer la vie d'un homme à celle d'un être aussi insignifiant, mais parce qu'elle est si privée de temps, l'existence presque inimaginable de l'éphémère m'a fait réfléchir un peu plus. En définitive, ce n'est pas de jours ou d'années dont j'ai tant besoin. Même quelques siècles de plus à ma vie ne changeraient pas grand-chose à ce destin que j'ai de toute façon tenu à résumer le plus simplement possible. Ce que je veux, c'est être autant qu'il se peut capable d'un regard, fût-il étroit, borné par les limites de mes propre vues, de ces perspectives fermées que j'ai peut-être confondues avec des horizons, des quelques probabilités que j'aurai considérées comme des évidences. Qu'importe la déviation que j'ai pu faire subir à ce regard : j'ai été le plus attentif des hommes. Et mon attention, sur laquelle je m'appuyais comme sur un ouvrage de maçonnerie, comptait davantage que le temps qui, lui, fuyait inexorablement. Elle fut aussi le plus léger de mes bagages. Je l'emporterai jusqu'à ce seuil où, pour la première fois de mon histoire, le présent rejoindra l'avenir, avant de s'éteindre avec lui.

Je me suis cru perdu. Deux ou trois fois, à quelques années d'intervalle, j'ai senti que mon corps, vaincu par la douleur, parvenait à une impasse. Ce n'est pas la pensée qui se désespère : l'esprit est plus rusé que sa propre souffrance, et s'invente des dieux, un au-delà, une morale et des arts qui le soulagent et, pour un temps du moins, le délivrent. Le misérable, c'est le sang, ce sont ces doigts qui ne tiennent plus rien, ces poumons un peu plus qu'hier oppressés, ces sens qui maquillent, ces pas tout à coup si légers qu'ils ne laissent presque plus de traces dans l'herbe. Il y a un désespoir du corps : j'ai éprouvé cela lorsque la vie s'est lassée de ma fragilité, de cette sorte d'impossibilité d'être qui est celle de quasiment tous les hommes. Je n'aime pas le dire, mais je crois que la chair est trop vulnérable, trop provisoire pour abriter ce mystère-là.

Je me suis cru perdu, et cependant la souffrance n'est pas venue à bout de mon envie de goûter jusqu'au bout chaque impression, d'accroître par l'intuition, le partage et le rêve chaque idée, d'interroger chaque tremblement. Encore aujourd'hui, même privé ici de presque tout, je n'ai pas fini de penser à ces herbes sifflantes qui, là-bas, sur le bord du lac, dressent tout l'été leur tige vers le ciel. Et je veux encore voir se courber comme un cou de cygne le croissant de lune qui monte chaque soir entre les barreaux de ma fenêtre. Même dans la peine, j'ai cherché à savoir ce qu'avaient à me dire ces composantes de ma vie. Je crois encore que si j'ai tant résisté, c'est que l'âme ne m'a jamais lâché, que sans cesse j'ai répondu à ses visées à plus long terme.

Le corps, l'esprit ne suffisent pas. Ces roseaux sont trop souples, trop oscillants pour bien me soutenir. Il me faut le mât infiniment plus rigide de l'âme. Je ne veux pas suggérer que cette âme est distincte de la chair qui l'enferme, et sans doute qui la conçoit. Elle ne l'est certainement pas, puisque selon toute vraisemblance elle meurt, à la fin, en même temps que cette chair. Seulement, on oublie au passage que tout dans le corps n'a pas à être aussi explicite qu'un organe, et que tout ne répond pas aux mêmes lois. Je me sentais observé par mon âme. Je devrai encore y réfléchir, mais il me semble qu'à cause de cela, elle ne souffrait pas quand je souffrais, pas plus d'ailleurs qu'elle ne se réjouissait aux moments de bonheur. Je ne cesse de ressasser cette pensée : peut-être au fond n'y a-t-il pas d'états d'âme. Peut-être n'y a-t-il que nos mains qui tremblent de joie ou de peur, que nos membres empreints de chagrin ou de plaisir, que nos esprits et nos corps bouleversés par l'amour. Souvent, je me suis dit que le corps se dotait d'une âme parce qu'aucune de ses autres composantes n'avait cette si pénétrante faculté d'observation, de calme repli. Bien sûr, l'intelligence, la conscience, l'intuition aussi sont capables de recul. Mais ce ne sont pas des spécialistes du dépouillement. C'est ce qui depuis toujours m'attire tant vers les choses de l'âme : ce regard que je sens porté sur ma vie et qui m'apaise parce qu'il est nu.

Il n'y a pas eu d'exception : chaque fois que j'ai été brisé, quelque chose en moi m'a tiré de l'espèce de puits dans lequel les circonstances ou ma nature m'avaient jeté. Je reconnaissais mon âme dans ce rôle de secouriste. L'intelligence était ailleurs, se consacrait à d'autres tâches. L'intuition, cette éternelle aveugle, ne me servait à rien dans ces moments où un regard acéré était nécessaire. Ma force, mon courage restaient sans effet. L'amour même ne suffisait pas. Je n'ai pas compris les croyants qui cherchaient à sauver leur âme. J'ai vécu le contraire : ce n'était pas moi qui sauvais mon âme, mais bien plutôt elle qui, en m'observant en silence, venait à ma rescousse.

Lorsqu'il avait mon âge, il restait à mon père vingt-six années à vivre. Qu'est-ce que vingt-six années ? Je me suis retourné un instant : j'ai refait ce matin le chemin qui mène à mes vingt-quatre ans. Je ne ferai pas l'inventaire de ce que j'ai trouvé au bout de cette voie à peine plus longue qu'un simple corridor, aussi féconde qu'un sillon : c'est le trajet qui m'intéressait, et la durée du voyage. Je m'étais cru bien au fait de la brièveté de ma vie. J'ai été stupéfait de la découvrir plus momentanée encore que ce que j'avais figuré. Je n'y songe plus ce soir que comme à un battement d'ailes effarouché, le soudain envol d'un oiseau que le chasseur interrompt. Je ne savais pas que la perspective changerait au fur et à mesure que je m'approcherais de la mort. J'avais pourtant déjà campé dans ces parages de ma fin : je m'étais couché à côté du néant ; j'avais dormi là quelques temps, cependant que des bruits d'appareils et les instructions inquiétantes d'un jeune médecin résonnaient autour de mon lit. Plus tard en m'éveillant, j'avais réfléchi à cette question de la fugacité de l'existence. Elle ne m'était pas apparue avec autant de force qu'à présent. Mais j'étais jeune. Et j'étais moins seul qu'aujourd'hui.

C'est bien mon père, étendu là-bas sous une tombe, qui à distance m'oblige à ces calculs terribles, à ces inquiétants remaniements de mes perceptions. Je m'étonne aujourd'hui de lui accorder un tel pouvoir : je ne lui en cédais pas autant à l'époque où il vivait encore. Je n'avais pas remarqué que, lorsque je pense à lui, c'est davantage sa mort que sa vie qui m'émeut. Maintenant que j'y songe, je constate que j'ai bien inconsciemment montré cela dans *Le temps qui m'est donné* : j'ai mis dans la description des derniers jours de papa une émotion que je ne retrouve pas ailleurs dans le roman. Cette émotion m'a poursuivi jusqu'ici : tous les fantômes que je connais ont cessé de me bouleverser, sauf celui de mon père. Je n'éprouve pas ce trouble particulier pour ma mère, par exemple. Ces vies à jamais disparues ont laissé en moi une empreinte plus forte que la mort qui les a emportées. Mais je commence à peine à me dire que la mort aussi a ses forces, ses volontés.

Il est vrai que j'ai mis du temps à comprendre ce père si exceptionnellement difficile à dépeindre. Et pourtant, quelques semaines passées à son chevet, trois ou quatre phrases nues échangées à la lueur d'une pauvre lampe, et le bruit rêche d'un drap de malade m'auront suffi pour y arriver enfin. J'ai vécu moi aussi, sur un lit d'hôpital, ces heures presque indicibles où l'on sent que le monde, puis la vie, se séparent de nous et nous abandonnent peu à peu à la mort. J'avais senti mon âme non pas me quitter, mais se plier, se défaire, mourir, descendre en somme comme le corps, et par paliers, vers ces lieux où la vie n'est plus. Comme mon père avant moi, je n'ai jamais goûté autant qu'alors la nécessité d'être totalement vrai. Ce n'était pas l'âme qui m'y poussait : l'âme mourait, gisait sans forces déjà. Ce n'était pas davantage le sang, ou la chair elle-même, qui ne luttaient plus depuis un moment. La pensée quant à elle restait inopérante : elle se fracassait un peu plus à chaque coup que lui portait cette espèce de bélier qu'est le néant. Je ne saurai jamais ce qui était à l'œuvre durant ces jours où je fus dépouillé de mes masques. Mais l'expérience unique et étrange que j'ai vécue, de laquelle on ne revient qu'une fois, me fait encore réfléchir. J'y ai appris que, de toutes les parties du corps, c'est l'âme qui meurt en premier. Peut-être cela explique-t-il le si pressant besoin de vérité que papa et moi avons éprouvé. Il se peut que, l'âme n'étant plus, quelque portion de l'être parvienne à reproduire, pour un court instant seulement mais avec plus de force encore, ce qu'il y avait en lui de plus vrai.

Une inattention du hasard, ce que d'autres appellent si aisément un miracle, m'aura permis jadis de freiner cette absorption de mon corps par le néant. À soixante-seize ans, mon père n'a pas eu ma chance. Mais, oui, sa mort m'émeut davantage que sa vie parce que cette mort m'aura permis de l'atteindre, de l'appréhender enfin. Je m'attriste du fait qu'il ait dû mourir pour en quelque sorte accéder à l'existence, du moins à mes yeux. Je n'avais pratiquement vu de lui avant cela que sa solitude. C'est bien peu pour juger un homme. C'est surtout trop incommode pour faire avec lui les quelques pas nécessaires à toute réelle communion. Sa pensée m'échappait, et son âme aussi. Ses qualités mêmes de bonté et de douceur ne me touchaient guère : j'avais les mêmes, elles ne m'apprenaient rien de nouveau. Rien n'y faisait : l'homme que je côtoyais, que je finissais par aimer, demeurait un inconnu. Je n'arrivais jamais à l'incorporer à ma vie. Sa mort aura réparé cela.

J'ai beaucoup parlé des pas, mais en somme assez peu des traces qu'ils laissent derrière eux. Lorsque je m'arrête et me retourne un instant, je suis abasourdi de constater à quel point j'ai en fait fort peu marqué le sol que je foulais. Je m'intéresse pourtant assez médiocrement à ce qu'il restera de moi après ma disparition. Tout au plus souhaiterais-je qu'on se souvienne de mon nom comme je me rappelle celui de mon père, dont les défauts n'ont jamais dissimulé les discrètes qualités. Mais mon pas si furtif, ne froissant que si peu les fougères, m'oblige à réévaluer mon poids d'homme, et à me questionner de plus près sur ma présence dans le monde. J'ai trop ardemment ressenti la vie couler dans mon sang pour dire que j'ai vécu comme une ombre, mais j'en arrive à penser que c'est peut-être ce que je n'ai pas fait qui me définit le plus nettement. La nuit dernière, j'ai pensé plus précisément encore que l'essentiel de ma vie se situait peut-être là où je n'ai pas été. Il me paraît de plus en plus que ce ne sont pas les maisons où j'ai vécu qui m'ont fait, ou les pays que j'ai traversés, ou les chambres où je remontais un drap sur une épaule aimée, mais quelque chose qui tout à la fois ressemble à ces lieux et qui les nie : l'image déformée que m'en renvoient mes rêves, le désir que j'ai de m'y rendre à nouveau et qui restera inassouvi, l'incompréhensible obsession que j'entretiens à propos de ces endroits où j'ai été heureux. Par moments, je me dis que l'idée que je me fais du monde aura peut-être été plus réelle que le monde lui-même. Je me suis étonné tout à l'heure de brasser d'aussi abstraites pensées, d'adopter au moins à demi des opinions qui, à une certaine époque, m'auraient fait enrager parce qu'elles offensaient les sens et la réalité qu'ils me dépeignaient. Je ne me suis fié, tout le temps, qu'à mes sens. Mais je m'autorise désormais à jeter un œil par la porte entrebâillée qu'ils m'ouvrent. J'y aperçois mes songes, mes soifs et mes mirages. Cela me trouble, mais il faut bien que j'y consente: jusqu'à un certain point, ce sont ces songes, ces soifs et ces mirages qui furent mes repères les plus sûrs.

Et pourtant j'aurai prodigieusement vécu. Mon bonheur a duré longtemps: je ne calcule pas en mois, mais en années, le temps qui s'est écoulé à peu près sans heurts, dans une joie paisible et sûre d'elle-même. Ce long cycle, bien entendu, fut interrompu à l'occasion: des deuils jamais insurmontables, des crises marquantes mais nullement destructrices, de tranquilles revers, sont venus en suspendre la belle régularité. Des méprises, des égarements, l'ont diminué et parfois menacé. J'étais le seul à blâmer: chacune de ces menaces correspondait à une certaine tournure que j'avais moi-même infligée à ma vie. Mais je restais déterminé à offrir le moins possible de prise au malheur dont je me sentais par ailleurs capable. En octobre, dans la campagne où nous vivions, nous assistions à la timide sortie des chevreuils: la nourriture se raréfiant dans les bois, on les voyait prudemment quitter leurs repaires et s'approcher des mangeoires que nous leur aménagions. Ces animaux peureux, dont le pelage se confondait à la couleur de l'écorce, se profilaient entre les arbres nus comme de grands et doux fantômes. L'esprit se recueillait un peu plus lorsqu'il devinait ces bêtes étonnées qui nous épiaient, dissimulées dans la forêt. Je songeais aux jours saisissants vécus autrefois en ville. Mais j'avais besoin de la beauté stupéfiante de la nature.

Je retrouvais les livres. Je pénétrais ce monde silencieux où, pendant quelques heures, la respiration humaine s'accorde avec celle du chien qui dort, se conforme au rythme de la page qu'on relit. Les fêtes de fin d'année étaient belles sous la neige. Et cependant Manon et moi n'aimions pas beaucoup l'espèce d'amplification marchande qu'elles entraînaient. Nous ne changions quasiment rien à notre façon de vivre. Mais nous observions plus que d'habitude le soleil déplacer lentement sa pâle lumière sur la terre. Quelque temps après Noël, j'entamais toujours l'écriture d'un nouvel ouvrage. Un assez long séjour en solitaire à l'étranger me permit d'écrire d'un trait un roman dans lequel Jésus de Nazareth, en renonçant à Dieu, retrouvait sa juste part d'humanité. *Ceci est mon corps* était aussi l'histoire d'un adieu : le vieillard Jésus, penché pendant toute une nuit sur le visage de sa femme agonisante, lui murmurait quelques ultimes mots d'amour. J'avais à cette époque le sentiment d'expérimenter l'inverse de ce que je faisais vivre à mon Christ : pour moi, les mots que je murmurais la nuit s'adressaient à une femme bien vivante qui, là-bas, attendait mon retour.

Quelques années solaires passèrent encore. Tout s'emboîtait, et me laissait croire à une destinée écrite pour moi, dans un univers qui, à défaut d'être bien en ordre, me préservait de son tumulte. J'étais tenté d'admettre que ce temps de mon bonheur durerait jusqu'au bout. C'était une bien dangereuse façon de raisonner.

Je n'ai écrit que quelques mots, jusqu'ici, à propos du ciel nocturne. J'ai pourtant là-dessus infiniment de choses à dire. Une pudeur me retient: je n'ai jamais autant l'impression de parler de ma vie que lorsque je parle d'étoiles. J'ai consacré pendant quinze ans une heure par jour à l'écriture d'un livre dans lequel il n'est question que de cieux constellés d'astres. J'y ai mis aussi un homme pensif, absorbé par le spectacle insensé de ce monde de trajectoires, de collisions, de tourbillons et de poussières. Ce fut le plus secret de mes livres: je l'ai conservé pour moi seul. Et je vois bien que si cet ouvrage s'est écrit si lentement, avec autant de précaution, c'est parce qu'il est plus que les autres intime: j'y touche ce qui, avec l'amour, m'a le plus durablement ému.

La nuit sur la terre ne m'a pas beaucoup plu: dans les villes, je la trouvais trop agitée, comme si les hommes cherchaient à la repousser, à en éloigner le spectre. Et je me découvrais dans celle des campagnes trop attentif au hululement des hiboux, trop inquiet de voir la lumière s'éteindre à la fenêtre du paysan. Mais la nuit telle que je l'apercevais au ciel m'apaisait. L'étude scientifique des astres ne m'attirait pas: j'ai préféré aux calculs, aux saisissantes analyses des télescopes et des instruments de mesure la méditation plus secrète dans laquelle m'entraînaient l'immobilité d'un front levé, l'émouvante quête de l'œil nu. J'ai écouté, aussi ; aucun bruit ne m'est parvenu de cet univers éparpillant dans l'éternité ses milliards de planètes, de météores. Mais d'étranges échos se sont répercutés en moi. Les appareils des hommes ne sondent pas cela, ce bruissement d'un corps qui, parce qu'il est recueilli, tremble comme la lueur d'une étoile.

Je voudrais que mes derniers instants coïncident avec ceux de l'arrivée des étoiles. Des vingt-quatre heures qui correspondent à la durée du cycle, ce fut toujours autour de celle où les astres s'embrasent que je me suis senti le plus incontestablement vivant, appartenir à un tout. Je tremble à l'idée qu'on me prenne pour celui que je ne suis pas : je n'ai rien de ceux qui prennent leurs songes pour des présages. Et cependant j'aperçois dans le ciel en marche un peu de ce que j'entrevois dans mon caractère, comme si tous deux s'appelaient et se répondaient. Si j'avais un tant soit peu de sentiment religieux, c'est de ce côté-là que je tenterais d'entrer en contact avec mon dieu. Beaucoup de croyants d'ailleurs s'y trompent : ils prient quand ils devraient rassembler leurs forces, ils espèrent quand il leur faudrait s'émerveiller, ils parlent à Dieu alors qu'il n'y a que l'impénétrable mystère du monde.

J'ai contemplé autrement les cieux depuis la mort de mes parents. Rien n'a changé pourtant dans l'agencement des constellations : le grand corps rectangulaire de Pégase, les longues cornes du Taureau pointant vers le Cocher, dont la forme depuis l'enfance me rappelle celle d'un cerf-volant, continuent d'inscrire au ciel leurs figures immuables. Mais j'ai trouvé dans ces figures si familières deux étoiles de plus, que j'observe aussi souvent que je le peux. Je ne veux pas dire que je souffre encore : quelques mois et, si je me souviens bien, quelques pleurs, ont su me faire accepter une absence plus que les autres inimaginable. Au contraire, je me suis lassé de poser ma main sur une tombe, de fermer les yeux au moment où il aurait plus que jamais fallu que je les ouvre. J'ai vite eu besoin de me redresser, puis de regarder encore. Comme toujours dans les moments où la beauté du monde est plus difficile à discerner, c'est vers les cieux que je me suis tourné. Un soir, j'ai tour à tour pointé du doigt deux étoiles suspendues à cette espèce de cintre que dessine la Couronne boréale. J'ai fait de leur apparition quotidienne l'un des rendez-vous de ma vie : je me tourne vers ces deux points lumineux comme je me tournais vers mes parents, dans la petite maison où j'ai grandi.

Cela ne me ressemble guère. J'ai condamné chez les autres cette manie de vouloir prolonger la vie dans les symboles, ce morne désir d'échapper à la mort en la niant. Je n'ai pas changé. Mais il est vrai que la mort parfois se mélange d'étrange façon à la vie. Lorsque j'évoque la voix de mon père ce n'est plus seulement une chanson qui me revient, mais aussi le silence qui lui a succédé ; quand je pense à ma mère, deux images me viennent : le regard doux et pensif des jours heureux, puis celui que j'ai vu se fermer à jamais sur le lit étroit d'un hôpital. Et cependant tout finit, je le sais bien. J'ai raisonné différemment en scrutant le ciel de la nuit. J'ai voulu y voir une forme de l'immortalité qui, pour une fois, ne serait ni religieuse ni méprisante pour l'homme. J'ai étudié les cartes, les livres : il n'est pas prévu que les deux étoiles que j'ai choisies disparaissent avant quelques milliards d'années. J'ai enchâssé le souvenir de mes parents dans cette éternité-là. Seule l'observation lucide du ciel me le permettait : tout ce qu'on me proposait d'autre passait par Dieu, et j'étais fatigué de ces visions où l'humain est si rapidement écarté.

J'ai aimé l'aube davantage que le jour lui-même. Je n'ignorais pas, en observant l'ombre se dissoudre sur le mur, en voyant se préciser dans la lumière naissante les plis de ma couverture, tout ce que cette nuit qui s'achevait avait connu de secrètes luttes humaines. L'aube venait, s'érigeait comme une construction. Nous vivons plus difficilement dans la nuit. Ce que le jour nous avait prêté de courage tout à coup se brise, et nous tentons pendant quelques heures de le réparer dans le sommeil, dans l'amour ou dans la réflexion. De toutes mes joies, les plus attendues furent toujours celles qui me traversaient au moment où je voyais ma fenêtre lentement pâlir.

On a souvent associé l'aube avec une certaine conception de l'espoir. Le passage graduel de l'obscurité à la lumière évoque naturellement cette image. Je l'ai adoptée aussi, mais j'ai insisté pour distinguer cet espoir du simple besoin de sécurité. Au cœur de la nuit, mon regard pivotant lentement au rythme des étoiles, ce n'était pas de sécurité dont j'avais besoin. Ni le corps, ni l'esprit, ni mon insomnie ne me réclamaient cela : je restais calme, sûr de mes sens, de mes mouvements et de ma pensée. Et néanmoins j'avais besoin d'espoir. Je sentais, non pas pour mon corps, mais pour ma vie, la nécessité d'une attente. Manon me trouvait soudainement bien grave. Rien pourtant ne me semblait plus léger et plus limpide que cette pensée à laquelle je consacrais chacune de mes nuits de veille : je m'apercevais que mon existence, si je lui appliquais suffisamment de force, pouvait encore s'élever, acquérir quelques-unes des qualités qui lui manquaient. J'ai combattu autant que j'ai pu l'idée trop facile que cette quête était celle d'un homme à la recherche de Dieu. Je ne sentais jamais, de toute façon, qu'un dieu m'attendait quelque part. Mon obstination m'a servi : je n'ai jamais espéré dans un autre monde, mais dans l'illumination de celui-ci, dont les astres scintillant chaque soir à l'étroite fenêtre de ma prison me donnent un aperçu.

Il se faisait tard: peu à peu la lumière baissait, et nous sentions qu'un long soir s'établissait. Je ne dis pas que la jeunesse n'était plus. Simplement, sa domination prenait fin, et entrait dans cette ère, commune à tous les humains, où le monde, répondant à une tyrannique exigence, commence à peser de tout son poids sur l'être.

Le visage de Manon ne vieillissait pas encore. Je continuais d'y sentir une douceur de pétale. Ces cils baissés, ce regard absorbé par la lecture m'émouvaient de la même façon qu'autrefois. Mais l'éclairage tout à coup révélait quelqu'un d'autre, sculptait à même un matériau connu une œuvre inédite. Il ne faudrait pas voir de pudeur, ou de prudence, dans ma façon succincte de décrire ces paupières et ce front. Seulement, j'hésite à montrer cette part de l'être presque sacrée. Surtout, j'éprouve devant la beauté l'étrange besoin de me taire. Les mots pourtant ne me manquent plus jamais. En vieillissant ils me viennent même de plus en plus, moi qui toute ma vie les ai attendus, souvent en vain. Certains livres que j'ai écrits plus jeune témoignent de cela. Lorsque, de loin en loin, je me retourne vers cette époque, j'aperçois bien un écrivain. Mais cet écrivain est si ignorant, il se révèle encore si peu conscient du pouvoir des mots que j'ai peine à me reconnaître en lui. Quoi qu'il en soit, il fallait sans doute que j'écrive ces pages-là, dans lesquelles sommeillait une sorte de promesse, afin de devenir l'homme chargé de mots qui chaque jour à présent se penche sur son manuscrit grave et dense. Et cependant je me tais plus qu'avant, parce que je suis plus qu'avant sensible à la beauté. Ce n'est pas un hasard puisque celle-ci après tout est affaire de recueillement, et que plus je m'enfonce dans l'âge, plus ma nature me contraint à ce recueillement. J'ai parlé de ceux qui prient, de la façon qu'ils ont d'entrer dans le silence en fermant les yeux. Je n'ai heureusement pas tout fait comme eux : je me suis tu, mais j'ai évité de gaspiller mes moments de silence en baissant les paupières au point de ne plus apercevoir le monde et les visages.

Celui de Manon restait beau. Ce n'était plus comme à quarante ans, où sa beauté avait commencé à devenir plus bouleversante, moins attachée à l'éclat toujours un peu trop évident de la jeunesse. Ce qui me plaisait maintenant dans ce visage était justement qu'il se voilait de mystère. Je n'avais pas moins qu'avant accès à la plupart des pensées dissimulées derrière ce front : comme toujours, je les sentais presque se former puis s'organiser au contact des choses. Mais quelque chose qui n'appartenait déjà plus à la jeunesse et qui n'était pas encore un stigmate de l'âge se mêlait aux traits. J'y songeais comme à l'usure d'une aile. C'est ce que le temps qui passe m'a fait voir de plus doux : cette joue adoptant progressivement la forme d'une paume, ce sourire dorénavant plus vrai parce qu'il porte aussi le poids de certains drames, tout ce visage s'animant en l'espace de quelques mois d'une impénétrable vie d'oiseau.

On parle beaucoup du naturel de la jeunesse. On devrait considérer tout autant sa fausseté. Nulle autre période de l'existence n'est plus avide de masques. L'inexpérience exige de ne pas trop laisser voir ce cœur qui bat immodérément, cette pensée encore peu sûre d'elle-même, cet inconfort que nous éprouvons en présence de la figure humaine. Manon avait commencé quatre ou cinq ans plus tôt à se libérer de ces chaînes. Elle achevait à présent de les rompre. Elle cessait de se soustraire aux regards et à la sollicitude d'autrui, de s'effacer en somme, et amorçait enfin une existence qui laissait de plus durables traces. La gêne d'autrefois s'estompait, et l'espèce de vérité qui lui laissait place se reflétait sur le pur appui de la tempe, sur la ligne nue d'une lèvre. Ce visage sans fard devenait plus frappant. Je la découvrais plus confiante, moins forcée de plaire ou d'aimer, pas moins apeurée devant la mort mais davantage disposée aux graduels abandons qui la précèdent. Elle devint plus simple à deviner, à aimer. Elle s'attardait plus longuement sur mon épaule : cette tête appuyée contre moi laissait depuis peu sur le vêtement un pli plus long à disparaître. Je trouvais tout cela formidablement émouvant.

Le corps n'était pour le moment que légèrement retouché. Mais on comprenait que le temps se préparait pour un ouvrage plus vaste : une ride peu profonde, apparue dans le prolongement de la paupière, témoignait d'une sorte d'essai, d'un exercice d'apprenti. On aurait dit que le temps se familiarisait avec Manon, qu'il l'étudiait et cherchait une façon moins brutale que d'habitude de creuser cette chair qui, dans la jeunesse, avait semblé si inaltérable. Je m'étais d'abord inquiété de cette lente évolution qui, certes, n'avait encore rien en commun avec la vieillesse, mais qui néanmoins l'annonçait. À la longue pourtant, le corps conservait l'essentiel de sa beauté. Mais déjà j'entrevoyais les inéluctables travaux de modification qui allaient venir, les coups répétés et de plus en plus sûrs qu'allaient porter les ans, ces grands instruments de sculpture.

Les apparences nous en disent beaucoup. Elles nous trompent également. Pour des yeux étrangers, je paraissais me préoccuper exagérément, non seulement de ma mort, mais aussi de mon esprit et de mon âme. Ce n'était pas que je m'observais tant: je m'intéressais au fond assez peu à moi-même, ou ne m'y intéressais que dans la mesure où ma propre existence, comme il arrivait de temps à autre, exigeait de ma part un effort accru. Mes actions, mes idées les plus simples, mes projets ordinaires ne suffisaient pas toujours. Il fallait leur adjoindre cette démarche d'un esprit, seul capable de les dépasser. J'en sentais en moi l'émouvante présence, je le devinais s'inspirer d'une force pour ainsi dire issue de lui-même, et pourtant différente de lui, et qui sans doute était l'âme. Je me penchais sur ces choses au point d'oublier que j'en étais le porteur. Je soulevais une gangue: ce n'était pas tant ma personne que j'étudiais que sa nature, sa qualité, et la sève dissimulée sous l'écorce.

La conscience était encore autre chose. C'est elle que je désignais quand je disais *je*, *moi*, *ma vie*, quand au milieu de cette complexe et ondoyante construction de mon corps je distinguais un homme. Je l'avais longtemps confondue avec l'esprit, puis avec l'âme, avant de commencer à comprendre qu'elle agissait autrement. Par elle, non seulement je connaissais ma propre réalité, mais je la jugeais. L'âme et l'esprit ne faisaient pas cela. Aucun juge ne prenait part à leurs choix, et je n'ai toujours pas de raison de croire que l'un et l'autre contribuent véritablement à une meilleure perception de moi-même. Sûrement, l'esprit décide, et l'âme guette. Je ne les ai pas sentis me soupeser et me poursuivre, me condamner et m'absoudre, comme le fait à tout instant la conscience.

Nous ne nous possédons pas. On le voit bien : l'esprit, l'âme et le corps lui-même sont autonomes, peuvent agir sans nous, c'est-à-dire sans notre conscience. Mille preuves de cela nous sont fournies chaque jour : les songes, les souvenirs, le talent, le désir, et même l'amour vivent d'une vie qui leur est propre, et sont en définitive plus forts que la volonté. Et néanmoins j'éprouve le sentiment d'être en possession de mes moyens. Mais j'ai admis, surtout depuis qu'on a prononcé ma sentence, que cette emprise sur moi-même est au fond toujours partielle et provisoire. C'est ici que je me suis posé la question la plus troublante de mon existence : qui me possède ? J'ai cru que cette réalité était celle de l'amour, puisque j'ai cru que l'amour était la plus importante des forces qui me gouvernent. Mais la mort est plus puissante. C'est toujours elle qui me conduit le plus nettement. Cela ne signifie en rien que j'aime ma mort : rien en elle ne m'attire, et je continue de lui préférer la vie. Mais je ne peux nier que je marche inéluctablement vers elle, ou qu'elle marche vers moi, et que ces pas ressemblent de plus en plus à des enjambées. La vie humaine dure un siècle. Nous retournons ensuite pour l'éternité à ces ténèbres d'où nous venons. J'ai rêvé d'une sagesse simple qui apprendrait aux hommes à considérer leur vie pour ce qu'elle est : un moment de lumière. Cette sagesse presque inatteignable est peut-être le plus lucide des objectifs que se fixe la conscience. Je n'y parviens pas mieux qu'un autre. Sans doute parce qu'elle est si vaste, je ne vois le plus souvent que cette nuit qui m'emportera à la fin dans sa danse d'atomes. J'ai toutefois sur beaucoup d'hommes l'avantage de ne pas avoir peur.

La peur justement changeait de visage. Par degrés, le tremblement d'autrefois se transformait en un mouvement plus discret, en une sorte de froissement de l'être. Les dangers eux-mêmes s'étaient modifiés : les grands objets qui m'avaient inquiété m'impressionnaient moins, je n'avais plus autant à mobiliser mes forces pour lutter contre eux. Mais je songeais à d'autres périls. Le retour toujours possible de la douleur physique, par exemple, me préoccupait plus qu'avant. Je craignais aussi vaguement d'en arriver, comme tant d'hommes, à ce refus de penser, ou de penser mieux.

En somme je ne m'apaisais pas. Seulement, je m'apercevais que le passage de la peur laissait en moi une empreinte moins profonde. J'avais encore mes alarmes, et cependant j'étais plus facilement capable de rester calme. Je sentais au milieu du corps l'existence non pas d'une paix mais d'une stabilité puissante. Je m'appuyais sur cette base. J'avais vieilli, mais la part peut-être inaltérable de moi-même continuait de m'aider à vivre. Ainsi, je découvrais depuis peu que ce calme avait gagné mon esprit et même mon caractère. J'étais heureux de cela : tout s'unifiait, comme si le corps et l'esprit parvenaient à une coïncidence plus parfaite, comme si cessait entre eux le décalage qui pendant cinquante ans les avait plus ou moins divisés. Certes, l'un et l'autre s'étaient bien épaulés. C'est à mon esprit que je dois d'être encore vivant : bien des fois, je l'ai senti qui se portait au secours de mon corps. Le corps, quant à lui, parce qu'il est depuis le début si passionnément en contact avec les choses, la terre et le monde, m'a appris la lucidité, sans laquelle je n'aurais pas pu réfléchir aussi sainement et avec autant de joie, d'espoir. Je le dis avec un certain soulagement : les dangereux délires des dupes et des superstitieux ne m'atteignent plus guère. Je constatais toutefois que cette collaboration de la pensée et du corps se troublait parfois. Je pense encore que l'âme jouait un rôle dans cela : j'avais souvent deviné mon esprit tourné vers elle et tenté de la servir, de s'attacher en quelque sorte un autre maître. Mais il me semble que l'esprit a choisi. C'est sur le corps dorénavant qu'il fixe toute son attention. Je ne sais pas comment il en est arrivé à cette résolution. Il est possible après tout qu'il s'émeuve davantage des mécanismes si fragiles de la chair.

Qu'est-ce au fond que la peur ? La définition un peu sèche qu'on m'a donnée ne m'a pas suffi. Il m'a semblé qu'avoir peur était davantage que de sentir en tremblant la présence ou la proximité du danger. Ce serrement ressenti dans la poitrine signifiait autre chose. Tout à coup, j'étais à l'étroit dans le corps, et ce rétrécissement de l'être me chassait hors de moi-même. Si la peur paralyse, ou si au contraire elle pousse à l'action effrénée, c'est sans doute parce que la chair et le sang sont alors livrés à eux-mêmes, sans le conseil ou la décision de la conscience. Mon calme retrouvé, je me suis étonné de cette violente exhortation à quitter le corps, c'est-à-dire à renoncer pour un bref instant à l'usage de la réflexion, des sens et jusqu'à celui de l'expérience. On me trouvera, à ma dernière heure, songeant encore, écrivant encore à propos de cette intelligence propre au corps. C'est l'une des trois ou quatre grandes méditations de ma vie. Mon esprit agissait parfois sans mon consentement. Le corps le faisait aussi, mais avec plus de mystère. Presque rien n'est inexplicable dans une pensée. Tout l'est dans une posture, un sourire, un pleur, un pas de danse.

Je me suis efforcé de lire dans les attitudes aussi passionnément que dans les livres. Je veux encore écrire une ou deux choses à propos de celles de Manon. Je découvrais dans cette construction faite d'actes et de manières un étrange prolongement de la beauté du monde. Cette intense réflexion forçant un instant la tête à s'incliner évoquait toujours un bruissement d'arbre. Ce front où se dessinait tout à coup la résolution d'un problème difficile était encore l'équivalent d'un lourd envol de perdrix. Je ne veux pas être romantique : cette façon obstinément exaltée de célébrer l'amour ressemble trop à un jeu de comédien. Je n'ai pas trouvé mon compte dans ces mouvements toujours un peu trop amples, ces voix forcées, ces déguisements vite ôtés, dans ce théâtre. J'ai choisi de vivre autrement. En vingt-quatre ans de vie commune avec Manon, l'expérience de l'amour a toujours pris les traits d'une plus secrète ferveur. Manon elle-même restait discrète. Tout m'a plu dans sa sobriété ardente, cet art de la retenue qui fut comme une politesse. Je n'ai pas eu besoin de beaucoup d'autre chose pour la connaître et pour l'aimer : presque tout se lisait dans la suprême discrétion d'un signe, d'un style, d'un déplacement plus souple que les autres, d'une contenance sage, apprise de l'âge ou de la compréhension.

La nuit, je revoyais en songe la jeune femme qui durant le jour s'était occupée de rassurer un chien effrayé par l'orage. Je la trouvais au réveil lisant le journal et s'inquiétant de la mauvaise marche du monde. Je n'étais pas si indistinctement sensible. Je m'imposais une sorte de classification du malheur, et celui de mon chien ne me troublait pas tant. Manon ne vivait pas ainsi. La plupart de ses gestes importants étaient une réponse, ou un contrepoids à tous les maux, visaient un allègement de la souffrance, quelle qu'elle fût.

J'ai bien connu ma mort: je me suis couché près d'elle pendant quelques jours d'un coma dont je conserve, non pas le souvenir, mais la signature. Ce congé de soi-même, son silence qui je le sais est celui de la tombe, et surtout la souffrance ahurissante qui les ont précédé, sont pour beaucoup dans mon intérêt d'aujourd'hui pour le corps. Tout avait été facile. J'avais cru que la chair n'était qu'un outil commode. Je me suis aperçu, après avoir approché la mort de si près, qu'elle était bien plus: le levier servant à soulever l'être. Je ne saurai jamais le rôle exact qu'ont tenu le hasard et la volonté dans ma sortie de cette nuit noire où je m'étais perdu. Mais je demeure persuadé que la beauté m'a sauvé. Je la reconnaissais à l'instant où, parce que Manon s'approchait de mon lit, je sentais mon sang emmagasiner à nouveau la chaleur. Au point du jour, des doigts qui la veille encore avaient touché le front d'un homme donné pour mort replaçaient la mèche de cheveux d'un revenant. Je ne souhaite pas plus qu'autrefois donner raison aux exaltés et aux crédules, à ces nombreux partisans de certaines thèses occultes. Je suis sûr pourtant que ce geste simple de Manon m'aidait à guérir, et peut-être à revivre. L'idée me vient souvent qu'un homme est né de cette joie lentement retrouvée. Si c'est vrai, je ne dis pas que cet homme est meilleur que celui qu'il a remplacé. Je dis simplement qu'il est plus lucide, et que cette lucidité lui est venue d'un corps qui, sentant la présence du danger, lui a opposé la beauté d'un geste.

Je continue d'être cet homme un peu voûté, tenant sa vie entre ses bras croisés, comme on blottit un vase contre soi pour le protéger. Je ne trouve pourtant pas ma vie si fragile : les grandes menaces d'hier ont été vaincues, et j'arrive encore, non pas à empêcher, mais à accepter celles de l'avenir. Ma faiblesse est ailleurs : je me brise au simple souvenir de Manon, de cette existence désormais hors de ma portée.

La vieillesse continuait d'être ce rivage aperçu depuis peu à l'œil nu. J'entendais à distance les bruits d'un éboulement; un frémissement me traversait. Cet écho lointain, qui se répercutait jusque dans mon sang, suffisait à lui seul à me faire accéder à un monde. J'avais, par degrés, franchi beaucoup de seuils: celui de l'amour fut le plus facile. Le plus malaisé des passages avait été celui qui m'avait mené à la douleur du corps. Les choses étaient d'un autre ordre, à présent. Je ne pouvais plus recourir à cette image d'une porte qu'on ouvre, ou qui s'entrebâille. Un horizon se précisait, sans doute moins étendu, mais plus imposant que celui de la jeunesse. Plusieurs fois par jour, un sentiment de familiarité me submergeait, dont je soupçonnais qu'il s'était préparé en moi depuis une époque formidablement éloignée. En quelque sorte, je reconnaissais ce paysage, ces empreintes dans lesquelles je posais à présent mes propres pas. J'hésite à le dire, mais à quoi bon le cacher? J'entrais dans cette étape de mon existence comme on rentre chez soi. Je n'insinue pas que j'y entrais volontiers. Mais j'y avais déjà mes repères.

J'ai refusé de croire que ce présage, ou cette conscience sourde, témoignait d'un quelconque phénomène surnaturel. J'ai demandé que, pour une fois, on reste sérieux devant l'étrangeté. Certains n'ont pas pu, et ont cédé à leur manie de voir partout un alignement de planètes, à leur habitude de mettre Dieu là où il n'a rien à faire, ou de confondre si fâcheusement magie et beauté du monde. C'était leur affaire. Mais cette compréhension profonde que j'avais de la vieillesse à venir n'était que le fruit d'une pure observation. Parce que j'avais toute ma vie réfléchi à l'avenir, j'avais forcément toute ma vie songé à mon déclin. Je ne me doutais pas, avant d'arriver à l'âge dont je parle, qu'autant de représentations de ma vieillesse existaient déjà en moi. Comme si pendant plus de quarante ans les effets de ce lent travail avaient été à la fin de chaque jour, non pas effacés, mais enfouis, mis à l'abri pour une utilisation future.

Plus j'ai réfléchi à cela, et plus je me suis émerveillé des capacités de ce formidable entrepôt de faits, d'émotions et d'idées qu'est l'inconscient. Je me suis interrogé : combien de ces empreintes, de ces lointains échos subsistent encore en moi sans que je le sache, et peut-être agissent sur ma vie ? De quel monde de possibilités suis-je donc secrètement le dépositaire ? Ce n'est pas que les pages que j'écris enfermé dans cette cellule répondent à ces questions : elles s'y intéressent au fond assez faiblement. Je laisse à l'avenir son contingent d'inconnu, de requêtes inexaucées, d'horizons entraperçus. Je mets en revanche dans cette espèce d'autobiographie intérieure l'essentiel de ce qui, à force de séjourner en quelque partie de moi-même, finit par façonner ma vie, par la réparer s'il le faut, et par donner à la longue un sens non seulement au futur, mais au hasard, à la volonté, à la réflexion et à l'amour.

Mes songes se modifiaient. En un sens, ces images devenaient plus vraies qu'autrefois. Le rêve jusque-là n'avait constitué qu'une lecture assez trompeuse des faits, la page toujours un peu gauche d'un mauvais biographe. Soudainement, ce monde maladroitement imitateur du mien se précisait. L'homme que j'avais toujours entrevu en songe, et qui me ressemblait tant, commençait à épouser mes vues, à mieux m'expliquer. Pour la première fois, il ne se contentait plus de copier ma pensée, de l'appliquer à sa pâle existence de fantôme. Les regrets, les plaies plus ou moins bien refermées, les victoires toujours précaires, les trop faibles atouts, toutes les ombres traquées dans le sommeil étaient presque identiques à celles de l'état de veille. Je coudoyais plus volontiers cet homme-là que l'ancien, que j'avais toujours trouvé vain, trop occupé par des images déformées qui ne voulaient rien dire, insuffisamment employé au déchiffrement de ma vie. Je me surpris même à consulter mes rêves : si je m'éveillais la nuit au milieu de l'un d'eux, j'arrimais à ma pensée ces figures encore fraîches, j'en interrogeais la direction. Je regardais au loin : j'essayais de savoir où me menait ce navire engagé pour l'instant dans un étroit chenal.

En somme, je remarquais que mes songes vieillissaient avec moi. J'éprouvais au fond une espèce de soulagement à l'idée que ceux-ci ne soient plus autant qu'autrefois éloignés des faits, qu'ils se mettent en quelque sorte à mieux refléter le réel. C'était peut-être le signe que je me réconciliais avec certaines de mes inconsistances. Je me surprenais à ressasser en pensée durant tout le jour l'une ou l'autre de ces images rêvée pendant la nuit. Je me souviens avec émotion de l'une d'entre elles, persistante, qui ne concernait ni un homme, ni une femme, mais un chien.

Dernièrement, j'ai beaucoup repensé à ma chienne Clara. Le souvenir de cette belle tête penchée continue de m'émouvoir. J'ai aimé formidablement le lourd museau posé sur mon bras, les yeux qui vers la fin se fermaient plus tôt qu'autrefois, cédaient de plus en plus à la fatigue. Chaque fois que j'en ai voulu à la vie de ne m'accorder que si peu de temps, je me suis tourné vers cet animal. Ce n'est pas que j'apprenais de lui : mes modèles étaient ailleurs que dans cette existence passée à dormir, à manger, à rêver de jeux simples, et dans laquelle la seule notion de durée ne fut jamais que celle de l'immédiateté. Mais j'étais touché par le fait que Clara vieillissait sans le savoir. D'une certaine façon, elle se croyait immortelle. C'est cette vie vécue sans conscience, c'est-à-dire hors du temps, sans autre attente que d'aimer et d'être aimé, qui m'émouvait tant. Je ne l'enviais pas : je préférais encore ma dure mais exaltante conscience de mortel, et la capacité que j'avais de réfléchir à ma fin, de m'y préparer, je veux dire : de lui donner un sens. Simplement, j'ai trouvé beau la manière qu'avait Clara de vieillir sans souffrance morale, précisément parce que la conscience ne jouait pas de rôle dans cette vieillesse : apparemment, seul le corps accusait le poids des années. Je posais ma main sur ces flancs imperceptiblement amaigris, entre lesquels palpitait depuis treize ans un cœur d'or. Je découvrais dans ce regard qui pourtant commençait à s'éteindre de nouvelles irisations, un furtif miroitement d'étoile. J'y ai vu les faibles signes d'un abandon, graduel mais serein, celui d'un être qui cesse peu à peu de se mêler au jeu de la vie pour s'attarder plus complètement à celui de l'amour : je ne fus jamais observé avec autant de bonté qu'au cours de la vieillesse de cette bête.

À la longue, je n'ai plus partagé avec elle les amusements que son amitié m'avait autrefois réclamés. Nous n'en étions plus là : d'autres accords plus confidentiels, plus tendres, mais non moins exigeants, furent conclus entre nous. La balle mille fois lancée puis rapportée a été laissée sous la neige : elle n'intéressait plus ma vieille compagne, qui se consacrait à présent à de plus méditatifs bonheurs. Ce qui lui reste de vieillesse se passera sans trop de heurts, auprès d'une femme qui, comme elle, trouvait sur une épaule aimée et dans l'observation du monde presque tout ce qu'il lui fallait. Je ne voudrais pas qu'on juge trop sévèrement ce que j'écris ici : ma dernière pensée ne sera pas que pour Manon. J'aurai aussi en tête l'image, à jamais gravée dans ma mémoire, d'une vieille chienne aux yeux las, cernés de poils gris.

Je m'accroupissais face à Clara. J'interrogeais ces yeux, cette douceur qui ne vient, dans le regard humain, qu'au terme d'un long chagrin ou d'une méditation plus profonde que les autres. Je ne répéterai pas les paroles simplistes de ceux qui croient les animaux meilleurs que les hommes : dans leurs pires moments, les uns sont tout autant capables que les autres de férocité, de rancune, de haine. Je distinguais pourtant dans les yeux de ma chienne une bonté que n'ont pas les humains, ou qu'ils ont moins longtemps. Mon examen ne durait pas : à la fin, ces yeux bruns se fermaient, et le beau mufle venait se loger dans le pli de mon coude. Je posais la main gauche sur cette tête dans laquelle sans doute tournoyaient toujours quelques songes, l'image d'un ou deux objets moins élémentaires qu'on le croit. Je m'émouvais encore de ce monde presque impénétrable, auquel je n'avais eu accès que grâce au jeu ou par l'amour. Parfois, j'avais surpris un début de pensée dans le mouvement d'une tête soudainement dressée, ou dans l'immobilité de pierre d'une patte suspendue. Le commandement que je donnais propulsait en avant cette créature puissante, dévouée à son maître comme le poignet à la main. Et je me souvenais de nos courses d'autrefois, du regard amusé de Clara, jeté par-dessus l'épaule tandis que je tentais en vain de me mesurer à elle. Je n'irais pas jusqu'à dire que je la comprenais. L'écart restait trop grand : je ne lisais que quelques pages, d'ailleurs plutôt mal traduites par moi, dans le livre de cette amitié entre un homme et une bête. Mais j'ai été merveilleusement lié à cet animal. À défaut de percevoir dans son regard et ses attitudes les preuves d'une intelligence humaine, j'ai cru y repérer les structures, les contours, certains aspects rappelant ceux d'un jugement, certes plus vacillant que le nôtre, mais nullement moins passionné. Je continue d'autre part à me dire qu'il n'y a pas d'âme à l'intérieur de ce beau corps-là. Mais peut-être l'âme des chiens prend-elle une forme que nous ne reconnaissons pas, parce que ce qu'elle étudie justement nous échappe. Nous découvrons en notre propre âme un infatigable surveillant de nous-mêmes. Je n'ai pas eu le sentiment que ma chienne était épiée de la sorte. L'essentiel, chez Clara, était hors d'elle-même. Cette bête impressionnante de bonté, altruiste comme toutes celles de son espèce, ne vivait que pour ses maîtres. Je le voyais dans sa façon de s'inquiéter de notre absence, même courte, même coutumière ; dans son habitude, le soir, de monter un instant à la chambre, de tourner autour du lit comme pour s'assurer que rien ne manquait aux deux humains couchés là, prêts à s'endormir ; dans le désordre de ses pattes tremblantes qui, en plein sommeil, calquait l'agitation de son esprit tourmenté par notre tristesse ou notre lassitude. Mais il nous suffisait d'être un peu heureux pour rendre à Clara la joie que nous lui avions ôtée en ne l'étant plus pendant une heure. Ce bonheur rejaillissait formidablement sur elle : nous le lisions sur ce corps robuste et pourtant d'une étrange fragilité, dans cette nature solide mais sans cesse prête à se briser. Je m'approchais un peu plus, je posais ma main sur le poitrail de ma chienne. Son cœur battait à tout rompre. Pour l'essentiel, la raison de cet amour m'échappait. Mais j'y contemplais l'une des belles images de ma vie.

Manon craignait beaucoup la mort. J'aurai fait de mon mieux, mais aucune parole ne fut suffisante pour atténuer son épouvante. Encore aujourd'hui, je ne crois pas qu'elle se soit faite à l'idée de sa disparition définitive. À distance, je sais que cette notion d'au-delà, à la fois précise et indéfinissable, continue de la hanter. Et cependant elle avait moins de raisons que moi d'avoir peur. Elle donnait l'illusion de vieillir plus lentement que je ne le faisais. Son corps restait plus jeune que le mien, obéissait à une impulsion que je ne connaissais pas. Je l'observais appliquer sans cesse à la vie de Manon sa belle méthode de mécanique pensante, ratifier par un geste tendre une sorte de théorie de l'amour. Je ne sentais pas ces forces opérer si vivement en moi-même. En tout cas, je ne les sentais pas se manifester de la même manière. C'était la volonté, bien davantage que la nature, qui agissait en moi. Mais cette même volonté, parce qu'elle ne me laissait à peu près aucun répit, me tuait également plus tôt. La jeunesse m'a au fond vite quitté, ou m'a quitté facilement. Elle n'était pas conciliable avec la joie que je ressentais lorsque, collant pour ainsi dire mon oreille à la porte de l'avenir, un intime bruit de feuillage me parvenait. J'ai tout de suite follement voulu connaître la vie qui m'attendait. Cette ambition d'un fou ne m'a jamais quitté. Elle m'aura aussi mené plus vite que prévu à ma perte : à force de regarder au loin, je n'ai pas toujours vu le piège que le hasard posait à mes pieds.

Manon pourtant était sage. Par malheur, cette prudence éclairée, cette mesure qui ne tenait chez elle ni du calcul ni de la frugalité, mais d'un désir d'ordre, ne lui servait à rien. Je l'ai longtemps nié, mais je ne le fais plus : pour s'habituer à la mort, la sagesse est bien le moins efficace des outils mis à disposition de l'homme. Elle est trop affamée. Ce n'est pas de sagesse dont a besoin notre inquiétude, ni d'ailleurs de courage, qui n'est que la variante plus âpre, plus affairée et plus instable de cette sagesse. La patience est plus utile. À force de temps, et en y regardant bien, on finit par trouver de l'ordre dans la perspective de notre mort. Il m'a semblé que si l'on s'arrêtait un peu plus longuement sur cette question, on verrait qu'elle est la plupart du temps abordée par le mauvais bout. Je m'étonnerai toujours du fait que la majorité des gens, lorsqu'ils songent à leur fin, se disent surtout qu'ils vont mourir au lieu de se rappeler qu'ils ont vécu. S'ils y consentaient, ils trouveraient dans cette façon de considérer l'existence humaine comme un privilège, quelque chose du calme tant recherché par le lecteur de livres.

Mais rien dans la pensée de Manon ne parvenait à discerner cet ordre dont je parle. Lorsqu'elle se penchait sur sa mort, c'est-à-dire lorsqu'elle accordait à sa réflexion davantage d'importance qu'à sa peur, elle ne percevait qu'un bruit de cohue et, au loin, le galop d'un cheval emballé. Je me suis interrogé à propos de cet ébranlement chez un être par ailleurs peu impressionné par la religion et ses machinations. Je m'approchais un peu plus. Je sondais cet esprit si solidement réaliste. Manon n'avait de sa vie à peu près jamais songé à Dieu. Les croyances, les hypothèses farfelues ne l'intéressaient pas. Le vide, la représentation qu'elle se faisait d'une éternité silencieuse et insondable l'étourdissaient, mais l'affolaient moins que je l'avais cru. Je comprenais à la fin que c'était sa dissolution qui l'apeurait tant. L'idée de n'être un jour plus rien lui était insupportable. Elle avait tout attendu de la vie, et presque tout reçu. Elle exigeait encore davantage. Mais cette exigence était précisément ce que la vie ne pouvait lui offrir.

Je ne suis pas comme bien des hommes. La violence ne me fait pas sentir plus vivant, plus valeureux ou plus convaincu de pouvoirs. Je n'ai pas eu besoin de cette forme grossière de la puissance pour tenter de corriger la façon éhontée dont va le monde.

L'indignation m'a mieux convenu. Je la sentais plus proche de l'état d'étonnement que j'ai éprouvé depuis le début. Il n'y avait pas de férocité dans mon sentiment. Il ne s'y dissimulait qu'une démesure de cet étonnement venu de l'enfance. La bêtise, la mauvaise foi, la médiocrité l'attisaient surtout. Cela me poussait à une sorte de soudaineté d'homme trahi. J'étais impatient d'opposer aux paroles et aux actes, par lesquels j'avais vu naître puis se prolonger l'erreur, les mots et les faits que je croyais assez justes pour la corriger. J'aurai en définitive beaucoup accusé, jugé puis condamné les hommes. Mon tour est venu, à présent. Mais aussi, je n'aimais pas l'odieux usage qu'on faisait de la vie. J'ai voulu mieux que cette dilapidation de temps et de confiance à laquelle trois hommes sur quatre se livrent en s'en remettant à un dieu. J'étais agacé surtout par les esprits occupés de tout, mais renfermant au fond d'eux-mêmes si peu de choses réellement pensives. Je vivais avec la douloureuse impression que le fait d'encourager une pensée complexe effrayait beaucoup de gens, qu'un exercice soutenu de réflexion les égarait, que les laissait perplexes l'éventualité d'une nuit employée à rassembler leurs idées, à parfaire ou, au contraire, à reconsidérer certaines opinions, à recommencer les calculs, à corriger les hypothèses, les plans. On aurait dit qu'ils n'étaient pas intéressés à s'améliorer. Je m'en voudrais de laisser croire qu'ils manquaient de sérieux : presque tous s'appliquaient avec ce qu'il fallait de conviction à leur tâche humaine. Mais il y avait toujours dans cette conviction même un imperceptible renoncement, un abandon de la pensée. Je m'efforçais de comprendre. J'y parvenais peu. Je continuais de me dire que la profondeur, s'ils l'avaient choisie, et parce qu'elle est une intarissable source de joie, les aurait aidés à ne pas renoncer.

Il est possible que mes exigences, que mes soifs dépassent mes capacités, et les capacités mêmes de la vie. Mais il faut bien, à la fin, exiger quelques réponses. Je voulais le moins possible laisser au hasard le soin de m'apporter ces réponses. Je décidais de provoquer le sort, d'aller voir ce que me réservait de bonheur, de peine ou de simple danger cet appel au monde et à l'aventure, ce détournement de la fortune au profit de l'action. Je m'imposais sans cesse ce rendez-vous avec ce qui m'attendait au bout de mon courage, de mon tressaillement, ou de mon incertitude. J'y parvenais, et je comprenais que, sans m'en rendre compte, je m'étais mesuré pendant un moment à l'inconnu et que j'avais fini par assumer le fait d'être au monde sans savoir pourquoi. Je n'ai pas connu tant de victoires : la plupart de mes succès furent trop précaires pour prétendre à ce statut. Mais l'acceptation de mon ignorance en fut une.

La vertigineuse recherche de sens à laquelle s'adonnait la multitude des hommes restait pour moi une source d'indignation. Car ces quêtes existentielles si chères à l'esprit humain étaient surtout le prétexte à défendre un aveuglement. Je me scandalisais chaque fois que s'immisçait dans les conversations une explication n'accordant pas aux faits l'importance qui leur revenait. Comme d'habitude, je m'irritais des solutions trop faciles, d'une certaine paresse de l'esprit que malgré moi je craignais de voir perdurer. Je n'en pouvais plus de ces lectures plus ou moins occultes que l'on faisait du monde : la foi en l'indéfendable, l'appui au surnaturel, les thèses soutenant la féerie, l'exacerbation de la crédulité, tous ces moyens délibérément pris par l'homme pour l'enchaîner davantage avaient fini par me dégoûter. C'en était assez. J'avais été suffisamment ouvert d'esprit, disposé à discuter de tout. La discussion n'était plus possible, à présent. C'était trop me demander que de rester calme lorsque par exemple on me disait tenir pour vraie cette histoire d'un homme né d'une vierge, faiseur de miracles, revenu d'entre les morts puis monté au ciel afin de nous y attendre. Le dieu des chrétiens n'était pas le seul à m'accabler. L'idée de l'existence d'une divinité, quelle qu'elle fût, me lassait prodigieusement. D'autres voix s'élevaient. Certains affirmaient ressentir la présence en eux-mêmes d'un dieu plus personnel, comme habitant le corps. Ils le consultaient, se confiaient à lui, trouvaient dans cet accompagnement un repos que ne leur procurait pas leur vie. Je n'étais pas sûr de comprendre pourquoi Dieu se manifestait à eux de manière si confidentielle : à tout prendre, pourquoi ne leur apparaissait-il pas dans toute sa lumière, dans cette si parfaite évidence qu'ils lui prêtaient ? Pourquoi tant de secret, de détours ? Je leur suggérais que ce qu'ils éprouvaient n'était peut-être rien d'autre que le souffle de leur propre existence, que ce murmure, certes mystérieux, mais organique, perceptible dans toute chair, et rappelant celle-ci à sa poignante présence au monde. Ils acquiesçaient poliment à ces mots, puis je les entendais réaffirmer ailleurs, et à d'autres, leur vieille loyauté envers la thèse surnaturelle. D'autres encore, à l'esprit peut-être plus pratique, concevaient Dieu comme une force, une sorte de principe organisateur de l'univers, et qui n'intervient pas dans la vie des hommes. Je les écoutais un peu plus longuement.

Mais j'étais vite ennuyé, et je finissais par me laisser distraire par le mouvement oscillant des feuilles ou la bouleversante courbe d'une fleur. Je quittais mes interlocuteurs, j'allais marcher seul pendant quelques heures. Je m'interrogeais pour la millième fois : que trouvait-on de si séduisant dans ces contes, dans ces descriptions qui en somme n'ajoutaient ni au bonheur, ni au perfectionnement des esprits, ni au sentiment de vivre ? Jadis, tout cela m'avait intéressé. Le temps avait bien passé, depuis.

C'est en vain que l'on cherche : la vie n'a pas de sens. Toutes les interprétations mystiques ne changent rien à l'affaire. Ces faibles réponses que se font les hommes à eux-mêmes les apaisent peut-être. Rien dans leur inquiétude, dans leur tremblante foi ne m'indique qu'elles les apaisent durablement. Je répétais ces choses autour de moi, j'apportais des arguments. Mais on n'admettait guère que je ne partage pas avec tant d'autres ce goût pour une trop commode interprétation du monde. Je voyais qu'on me reprochait vaguement cela, comme si ne pas croire au surnaturel signifiait ne croire en rien. Je ne me fatiguais plus à tenter de convaincre qui que ce soit du contraire. Je retournais à mes préoccupations de toujours, à cet émerveillement dans lequel me plongeait encore la seule réalité capable de m'émouvoir, celle de la terre et des hommes, de leur souffrance, de leur bonheur et de leur durée. Mes questions étaient celles d'un homme passionné de beauté, et pour qui les raisons de cette beauté importaient au fond assez peu. Je ne cherchais pas à résoudre le mystère ; je me contentais d'y prendre part. Je trouvais dans l'humanisme, l'attachement au progrès, le développement des sciences, la connaissance, l'art et le contact avec la nature ce que d'autres croyaient détecter dans le culte des dieux. Je songeais à eux, à leur dévotion. Je continuais de m'indigner de ce gaspillage de temps, de ferveur et d'amour.

J'ai recensé cette nuit encre mes cinq mille étoiles familières. Vers les quatre heures, à cet indéfinissable moment où l'on sent qu'un lourd vaisseau commence de chavirer dans le ciel, lentement passer sous l'horizon, j'ai soudainement aperçu Vénus, si bellement surnommée l'étoile du berger. Ne pas fléchir, c'est la grande affaire. Cela ne m'a pas toujours été possible, mais j'ai refusé dans la mesure de mes moyens d'ajouter au bruit ambiant, à la rumeur s'élevant d'un monde cacophonique, qui ne s'émouvait guère du silence. J'y arrivais surtout en levant les yeux. Quand tout sur la terre paraissait se résumer au vacarme de la sauvagerie, au bruit de froissement de l'argent, à la clameur des modes, à ces assourdissants tintements de cloches des croyances et des idolâtries, je retrouvais dans la calme progression des étoiles un peu du silence qui effrayait tant d'hommes. Oui, je suis bien resté le même : je continue de guetter, un peu avant l'aube, l'arrivée de l'étoile du berger.

Il y a deux jours, on m'a annoncé qu'un visiteur m'attendait au parloir. J'ai d'abord cru à une erreur : plus personne, depuis la fin du procès, ne paraissait s'intéresser à moi. C'est en partie de ma faute, mais c'est aussi celle des hommes eux-mêmes : ils se détournent vite de ce qui s'oppose à leurs certitudes, et de ce qui est dénué du poids rassurant des habitudes.

Et soudainement j'ai songé à Manon. La saisissante bouffée de joie que cette pensée a provoquée en moi m'a presque fait trébucher. Le gardien qui m'accompagnait, croyant à un malaise, a dû me soutenir un instant. J'ai osé lui demander si mon visiteur était une femme. Sa réponse m'a odieusement fait souffrir : elle m'a tout à coup ramené à la réalité, et fait s'interrompre ce rêve foudroyant que j'avais fait de retrouver un visage plus beau que la vie elle-même.

Mais ma joie s'est vite ranimée, et a pris une autre forme. Je ne crains pas de le dire : lorsque j'ai aperçu mon ami Jacques Clermont de l'autre côté de la vitre, et ce regard de compassion que je ne croyais plus revoir avant ma mort, j'ai éprouvé le même sentiment de reconnaissance ressenti au temps de l'amour avec Manon. Surtout, et pour la première fois de ma vie, j'ai trouvé cruel de ne pas pouvoir étreindre un homme. J'avais cru bien présomptueusement tout savoir à propos de l'amitié humaine. Et cependant j'apprenais encore autre chose. Je n'avais pas prévu cette brûlure des larmes, ce feu contenu dans le geste de deux mains qui voudraient plus que toute autre chose se toucher.

Je l'ai écouté avec une attention redoublée me donner quelques nouvelles fraîches du monde. Mais j'ai surtout voulu l'entendre me parler de lui-même. Je n'avais pas fini de le découvrir, et de façonner à partir de ce caractère d'or les quelques images qui me manquaient encore. Je me souvenais que l'idée même qu'il se faisait de la foi religieuse l'avait souvent empêché d'aborder avec moi la question de Dieu : aucun des croyants que j'ai connus n'était à ce sujet plus réservé. Je l'ai pourtant questionné là-dessus, parce que je n'avais plus beaucoup de temps et que je craignais, s'il quittait cet endroit sans évoquer son dieu, de ne plus jamais avoir accès à la profondeur d'un cœur humain. Il le savait : on ne pouvait plus guère désormais témoigner devant moi de ces choses sans provoquer au plus profond de mon être une réaction de recul. J'avais en effet payé bien cher, à la fin, mon dégoût pour ces choses-là. Mais il n'ignorait pas non plus à quel point j'aimais sa façon de réfléchir à l'existence et d'en nommer avec autant de force chacun des objets. Au nom de notre amitié, il accepta de pousser la porte que j'avais refermée derrière moi au moment de mon arrivée ici. Pour lui, ma séparation d'avec la société des hommes, et cette solitude douloureuse dans laquelle j'étais à présent plongé, justifiaient d'ailleurs d'autant mieux les quelques paroles qu'il consentait à me dire.

Notre conversation excluait évidemment toute tentative de me convertir. Son intelligence, qu'il appliquait à sa foi, n'exigeait pas cette adhésion de la part d'un esprit déjà bien assez exercé au recueillement, fût-il dévoué à la matière du monde. Je sentais cependant qu'il voulait savoir si j'étais en paix, ce qui était à ses yeux une autre façon de parler de Dieu. Rien ne m'avait jamais convaincu dans le portrait de ces croyances que Jacques s'était risqué à me faire. Mais toute pensée franche avec elle-même m'a toujours plu, en particulier celle capable de se soustraire à la si lassante paresse menant aux lieux communs. La sienne les évitait aussi habilement qu'autrefois. Une chose surtout me frappait dans ses propos. Je ne m'en étais pas aperçu avant, mais je comprenais que l'idée d'insoumission qu'il mettait en pratique ailleurs débordait jusque dans sa fréquentation du divin. J'ai mis quelques minutes à m'habituer à cette pensée d'un serviteur transgressant sans scrupules les instructions du maître qu'il adore. Puis je me suis souvenu que ma propre résistance aux leçons que je recevais m'avait permis de répondre à la majorité de mes questions. J'avais sans le savoir étendu à toute ma vie le principe selon lequel une curiosité extrême est le plus souvent incompatible avec l'obéissance. À la fin, je me suis rangé à l'idée que, si mon vieil ami désobéissait à son dieu, c'était en quelque sorte parce qu'il cherchait à mieux le connaître.

Je renouais avec de vieilles habitudes. Je tentais de le cerner, de prendre en défaut cette pensée à son aise dans les croyances visant à une union entre l'homme et la divinité. La vérité à laquelle je tâche de me tenir fait une part essentielle à l'idée que l'être reste imprécis, à parfaire, mais qu'il se suffit à lui-même dans sa quête de progrès. Celle de Jacques se nourrit davantage d'absolu, s'en remet à des forces que je laisse pour ma part prudemment à l'écart. Mais je rencontre aussi dans cet esprit tout ce que mon propre caractère compte de sens pratique, d'attentives routines. J'ai aimé la claire image dont il s'est servi l'autre jour pour excuser le peu de visibilité de son dieu. Je m'émeus encore à présent de son opinion voulant que, si ce dernier se montre aussi rarement, c'est que la poussière soulevée par son approche nous cache longtemps son visage.

Je n'y crois pas pour autant. Depuis le temps, j'ai bien observé : je m'attache toujours un peu plus à l'idée que ce que les gens décrivent comme leur foi en Dieu est bien davantage le besoin qu'ils ont de lui. Je le sais, puisque je suis comme eux : lorsque j'arrive le moindrement à désencombrer ma vie, je vois bien que beaucoup de mes vérités sont plus fragiles que je ne le crois, et s'adossent plus qu'à tout autre point d'appui à mon appétit de certitudes. Tout compte fait, je ne vois rien dans cela que de très humain. Mais la part inflexible de moi-même refuse de satisfaire mes appétits en m'inventant un autre monde que celui-ci, que présiderait un juge souverain. Jacques, dont c'est l'habitude de voir en chaque chose une parcelle divine, affirme que tout homme convaincu a un dieu, puisque sa conviction se substitue à l'absolu. J'ignore comment réfléchir à cela. Néanmoins, je sais qu'il se trompe quand il dit que certains hommes touchent à l'adoration dans leur façon même de nier Dieu. C'est une assez belle formule. Mais elle est fausse, comme tous les raccourcis qu'emprunte la pensée.

Je m'apercevais en écoutant mon vieil ami que, parce que j'avais refusé si totalement les conceptions qu'impose la foi, j'en connaissais mal les pouvoirs. Je persiste à dire que, pour l'essentiel, ces pouvoirs mènent à une impasse. Mais je ne peux plus nier ce soir que, même vaines, les convictions qu'ont en commun tous les croyants les aident au moins à vivre. Ce n'est certes pas suffisant pour qu'à mon tour je me jette à genoux dans une attitude de prière, mais c'est assez pour me rendre plus indulgent, plus humble et, en somme, pour m'apaiser. Il est trop facile, à distance, de me scandaliser de ces leurres auxquels succombent tant de mes frères humains, et de cette espèce de torsion qu'ils infligent à la lucidité. J'aurais mieux fait de m'approcher encore davantage d'eux, de vivre plus intimement à leurs côtés, de les aimer avec moins de méfiance. Si j'avais essayé plus longuement, je n'en serais peut-être pas là aujourd'hui.

Tuer Dieu ne m'a pas été si difficile : je n'ai eu en somme qu'à redonner au corps la place qui lui revient. J'aurai vu le mien lutter contre la douleur, mourir presque, puis revivre dans la ferveur, se reposer dans la joie, embellir dans l'amour. À la longue, j'ai tout misé sur lui : je ressentais que la matière seule pouvait instaurer dans l'être une spiritualité de la vie, réaliste, sans conformisme et sans la détestable raideur des doctrines, une spiritualité qui s'accorde avec une collectivité d'hommes en marche, ouverts au dialogue, à la raison et à la compassion. Si j'ai tant aimé l'avenir, c'est beaucoup parce que j'ai imaginé le jour lointain où presque tous les hommes seraient capables de cela. Quelques siècles ne seront pas de trop pour nous enseigner un tel art de vivre. Mais ce beau jour viendra. Comme la plupart des hommes, l'état du monde m'accable. Rien ne me convient toutefois dans la pensée des pessimistes : il manque trop de révolte au mécontentement et à l'inquiétude de ces gens-là. Chaque fois que je les ai côtoyés, j'ai trouvé en eux les marques d'une désaffection, d'une sorte d'ennui. Il y a de l'indécence dans cette façon de concevoir le monde, d'afficher avec tant d'impudeur un tel manque de confiance, et peut-être de courage. Comme eux, je vois bien se répéter l'éternel cycle de la haine et de l'horreur. Mais l'histoire humaine regorge d'exemples d'individus qui œuvrent à l'amélioration du monde. La longue succession de dangers et d'erreurs ne s'arrêtera pas : nos réussites resteront fragiles, comme le seront les actions ou les attitudes mêmes qui y conduiront. L'arbitraire et la brutalité continueront longtemps d'affliger une majorité d'hommes. Nous devrons sans cesse leur appliquer de nouveaux remèdes, leur objecter de nouvelles contreparties. Nos maîtres nous lasseront. Nous en choisirons d'autres tour à tour plus doués et plus inaptes. Mais, à la fin, peut-être nous tournerons-nous plus résolument vers l'avenir lointain, puisque nous sentirons que cet avenir est notre destination, la cible visée par cette âme patiente, assidue, qui, en nous, semble attendre quelque chose de notre part. Il se peut que notre espèce ait besoin du sang de ses meurtres, des indicibles effets de ses fureurs. Nos lois, qui ne sont après tout qu'un moyen d'équilibrer nos pulsions, ne suffiront peut-être pas pour venir à bout de cet étrange goût pour la souffrance. Mais au moins nous rappelleront-elles, à intervalles réguliers dans l'histoire, qu'une part de nous-mêmes cherche sans relâche à vivre différemment, à se hisser en quelque sorte au-dessus de notre propre nature. Même si bien souvent j'ai choisi de me tenir à l'écart des hommes, je n'ignore pas moins qu'un autre que la plupart d'entre eux ont besoin de s'unir à d'autres hommes, d'avancer et de découvrir. Je me suis dit toute ma vie que Dieu empêchait cela. Quel était ce dieu borné, qui refusait aux êtres humains la joie de se sentir progresser, qui n'aimait pas leur liberté de choix, qui encourageait le mensonge et l'inégalité, le mépris et souvent la haine, qui exigeait de tout croire sur parole et qui de cette façon glorifiait l'ignorance et le fait de ne pas penser ?

Je l'ai dit souvent : j'ai intensément réfléchi à un monde plus beau, qui ne délogerait pas l'humain mais le rehausserait. J'en ai eu assez des fables et des aberrations de ces hommes habillés de robes, soulevant au-dessus des têtes l'hostie et s'obstinant à ne pas voir la part de sacré contenu dans toute joie et tout bonheur terrestres. J'en voulais à leur fanatisme de si peu tenir compte de la beauté du monde. J'ai jugé durement leurs prières, qui forçaient des millions d'hommes à baisser le regard. En tout cas, ce n'était pas en fermant les yeux que j'entrais en moi-même : il n'y avait rien derrière les paupières qu'une nuit, qu'un songe qui n'est pas la vie. Il m'a semblé au contraire ne jamais mieux me recueillir qu'au moment où je regardais la réalité en face, qu'à l'instant où j'ouvrais les yeux sur les paysages et les êtres, que lorsque j'apercevais chez ces derniers l'émouvante étendue de leur intelligence, de leur amour, de leurs dons et de leurs possibilités. C'est au contact des faits que la majorité de mes convictions ont pu se nuancer, former en moi cette sorte de mât. Beaucoup d'entre elles par ailleurs se sont évanouies à ce contact. Quelques-unes demeurent fragiles, sans cesse à revoir. Une seule n'a pas changé, celle par laquelle je sais que Dieu est une invention humaine, et que cette invention a failli.

J'ai défendu l'idée que, dans les écoles, les jeunes gens devaient apprendre cela. Je songeais à l'avenir. J'ai voulu qu'on dise clairement à ces citoyens du futur l'incapacité de Dieu à rendre les hommes heureux, à leur apporter du secours, de la protection, une force durable. J'ai souhaité que les maîtres écrivent lisiblement à la craie, sur les tableaux noirs, que Dieu, loin de nous faire aimer la vie, nous invite à la détester ; qu'ils illustrent par maints exemples qu'aucun dieu n'est jamais parvenu à transformer les hommes en êtres plus moraux, moins cruels, et qu'aucune volonté divine ne fut jamais assez puissante pour empêcher ni le mal, ni la guerre, ni le sang versé. J'ai espéré aussi ne plus voir tant de carrefours de routes enlaidis de croix : ces lugubres symboles ne sont pas dignes d'un monde où se cultivent tout à la fois les esprits, les arts et les fleurs. Et je n'ai plus voulu qu'on dépêche des aumôniers ou des prêtres au chevet des malades et des mourants : j'ai critiqué, non sans indignation, le fait qu'on envoie auprès de ces derniers de si pauvres serviteurs, de si vains porteurs de message.

Je ne m'interroge plus sur la provenance de ces vues que j'ai développées, et de tant d'autres assez semblables. La plupart trouvent leur origine dans un inextricable entrelacs de racines. L'autre soir, je me suis longtemps attardé à quelques souvenirs d'enfance. J'ai refait, en sens inverse, le chemin qu'avait parcouru ce tout petit garçon peut-être plus qu'un autre stupéfié par le réel. Je le découvrais déjà incapable d'autres idolâtries que celles vouées aux choses, aux paysages et à la musique cristalline échappée d'un jouet. Et je m'émerveillais de sa liberté.

Mais je payerai de ma vie cette liberté dont les hommes ne veulent pas. Car c'est avec les hommes que j'ai eu maille à partir. Ils m'ont accusé, jugé, puis condamné. Mais ils me prêtent trop de pouvoir, comme ils en prêtent à toutes leurs peurs. Ils croient que j'ai détruit leur dieu ; ils se trompent, comme toujours quand ils refusent de réfléchir jusqu'au bout. Ce n'est pas leur dieu que j'ai tué : c'est la conscience de leur brièveté que j'ai ravivée. Ils n'acceptent pas leur mort. Ils s'inventent un accès à l'éternité, à un Être, une force et un lieu infinis, un théâtre d'ombres, prolongement fabuleux de leur existence. Je les ai observés toute ma vie embarquer cet inutile chargement d'espérance, lutter presque rageusement contre leur dissolution. Ce qui me surprend n'est pas que ce songe tenace ait de tous temps pris racine dans les cerveaux humains. Je m'étonne bien davantage encore que son peu de vraisemblance ait à ce point séduit tant d'hommes. Je suis comme eux accablé de chimères. Mais les miennes ne concernent que le temps de la vie.

Certaines nuits, une main posée sur la mienne, j'aurai formé au creux d'un lit quelques rêves d'une inoubliable douceur. Mais les songes qui durant le jour m'auront tenu éveillé ne furent pas moins apaisants. Au milieu de leur infini variété, il en est un qui me revient si souvent que j'ai fini par le considérer comme un présage. Il ressemble à ma vie : il est grave, heureux, et fulgurant. Tous les hommes s'y côtoient, et se réjouissent de ne plus trouver, à l'endroit où se dressait une église ou un temple, qu'un massif d'arbrisseaux, ou le bel affleurement d'une source. Je ne verrai pas ce jour plus exquis que les autres. Je devrai me contenter de l'image que je m'en suis fait. Il est probable qu'elle ne soit pas si fausse : que ce soit en dessinant quelques figures dans un cahier d'enfant, en écrivant, en chérissant le souvenir de mes parents ou en rêvant tout haut d'un avenir plus beau, j'aurai dans ma vie beaucoup fabriqué d'images, à la fin presque toutes vraies parce qu'elles étaient dédiées à une certaine grandeur du monde. Et c'est encore une image, la plus passionnément aimée, que j'emporterai bientôt avec moi dans la mort.

Je sens depuis quelque temps que mes geôliers sont plus bienveillants à mon égard. Les strictes conditions auxquelles j'étais soumis jusqu'à tout récemment sont peu à peu abandonnées. Je crois lire un trouble dans le regard de ceux qui m'entourent, la gêne mêlée de peur qu'on éprouve souvent à la vue d'un homme dont on sait qu'il va mourir. On parle moins fort, comme si la voix s'ajustait à l'étrange silence qu'on devine tout proche. On baisse les yeux, peut-être pour ne pas voir cette lourde draperie noire qui déjà voile ceux du condamné.

C'est maintenant seulement que je trouve la force de l'écrire : sans doute parce qu'on s'attarde ici de plus près aux préparatifs de ma fin, j'ai eu droit hier à la visite de Manon, vingt-quatre heures à peine après celle de Jacques. Comme autrefois, mais avec plus de hâte encore, j'aurais voulu sécher ces pleurs dont je sais qu'ils vont chaque soir depuis des mois s'achever dans le cou d'une vieille chienne. Les miens ne furent pas moins doux. Et cependant il me semble encore en goûter le sel sur mes lèvres.

Le beau visage n'a pas changé. Mais les cheveux, portés plus longs désormais, cachent savamment quelques rides récentes apparues sur le front. La grâce même du corps demeure quasiment intacte. Ses légères altérations sont l'œuvre du chagrin. Et néanmoins aucune peine n'est venue à bout de l'habituelle impression de repos souple, de douceur grave et de ces songes de panthère que moi seul devine. L'épaule paraît toujours soutenir un monde. Ce jonc se redresse pourtant comme avant. La plus affreuse de mes privations sera jusqu'à la fin de ne plus pouvoir m'y appuyer.

Si les trois quarts des choses que j'ai accomplies tiennent toujours debout, c'est que j'ai eu peu de regrets. Le plus difficile a été de dire à Manon que, si tout était à refaire, je répéterais le geste qui m'a conduit ici. Je sais qu'elle n'était pas en état de comprendre cela. Mais être compris n'est plus tellement ce que je recherche. Je compte sur l'avenir pour qu'elle se rappelle surtout cette description que j'ai faite de l'ombre s'allongeant le soir sur les murs de ma prison, et de cette atroce absence de gestes amoureux à laquelle je ne m'habitue pas. C'est d'ailleurs à cette tâche que je consacre le peu de temps qui me reste. Pour l'essentiel, j'emploie mes derniers jours à retracer, puis à me répéter mentalement, chacune des paroles prononcées par Manon pendant une heure. Le gardien qui trois fois par nuit vient jeter un œil dans ma cellule me trouve bien songeur. Mais ce travail de minutie est utile : par lui, je reconstruis une part du monde qui lentement s'écroule sous mes yeux. À la fin de la nuit passée, je me suis souvenu tout à coup d'un de ces mots momentanément placés dans je ne sais quel compartiment secret de la mémoire. Ce trésor retrouvé fut plus beau que l'aube, pourtant l'une des dernières, je le sens.

Elle restait tendre. Ce cœur, d'habitude secret quand il souffre, acceptait pour une fois le risque de s'enfoncer davantage. L'indescriptible vulnérabilité qui résultait de ce repos imposé à la prudence me fit l'aimer davantage. Je lui étais reconnaissant de cette façon en somme plus généreuse de lutter contre la douleur. Mais nous savions ce combat perdu d'avance puisqu'il allait s'achever sur une tombe. Nous ne pouvions nous toucher, tenus à distance par l'odieuse barrière d'une vitre percée de trous. Et cependant notre entente était sauve, peut-être parce que nous avions franchi depuis longtemps l'étape où l'amour cesse d'être un simple sentiment pour entrer dans un monde où il devient présence, durée, ordre. Quoi qu'il en soit, je reconnaissais dans sa douceur ce qui m'avait tant de fois donné accès à son âme, m'apprenant du même coup à mieux m'avancer vers la mienne. N'empêche : cette séparation d'avec son corps constituait pour moi une sanction de plus, la rouge cicatrice d'une blessure toujours prête à se rouvrir. Sa réalité me frappait d'autant plus durement que je n'étais séparé de Manon que de quelques centimètres. J'avais bien sûr souffert de son absence ; mais à distance j'avais vite appris à en supporter le poids parce qu'elle n'était attachée qu'à une image lointaine. La présence physique de Manon changeait tout. Soudainement l'image prenait vie, et cette vie qui aurait dû me rendre à mon bonheur m'accablait parce qu'elle restait formidablement inaccessible, conservant en quelque sorte, et à cause de cette maudite vitre, sa nature de mirage, ou de songe. J'aurais voulu caresser ces bras, frôler de ma joue cette joue, enfouir mon visage dans cette chevelure dénouée comme un bouquet, effleurer pour une millième fois ces hanches d'où avaient jailli l'insondable plaisir de vivre et de sentir. J'entends d'ici mes détracteurs m'accuser de contradiction, mais je crois sincèrement que, dans les circonstances, de telles marques d'affection auraient été l'équivalent d'une expérience presque mystique. Je l'ai dit, et je l'ai beaucoup écrit aussi : c'est mal connaître le corps que de l'imaginer à ce point incapable de cette élévation vers une vie plus sensible, intuitive, touchant au principe de l'être. Je n'avais pas attendu la venue de Manon dans ma vie pour établir cette collaboration entre la chair et le monde intérieur. Mais l'amour avait tout facilité.

Je réalisais en face d'elle que le manque d'amour m'avait davantage rendu malheureux que le manque de liberté. Mes idées au sujet de cette dernière n'ont rien de moderne : je suis encore assez proche des vieux stoïciens de l'Antiquité, pour qui la liberté humaine est avant tout une liberté de penser. Mon séjour ici n'a presque rien changé à cette conception. Dans l'ensemble, je demeure remarquablement libre. J'admets volontiers que le confinement physique prolongé a forcé l'adoucissement de certains angles de ma pensée, l'ajustement du système patiemment mis au point par la volonté. Par exemple, je ne crois plus autant qu'avant que le bonheur soit si étroitement associé à la fermeté de la conscience. Ce qui me reste de bonheur n'en demande pas tant, et la beauté poignante de quelques étoiles apparaissant à la fenêtre de ma cellule vaut bien la beauté d'un acte moral. Mes chaînes sont ailleurs. Ma vraie prison, c'est la disparition de Manon. Mon véritable enfermement, c'est celui qui empêche dorénavant mes mouvements de se prolonger dans les siens, c'est le geste que je ne ferai plus, ce vase que je mettais sur une table et dans lequel elle venait déposer des fleurs.

Au fond, nous ne savions que dire. Ou plutôt, nous ressentions le besoin de parler simplement des choses. J'ai demandé des nouvelles du jardinier qui, depuis dix ans, vient à ce moment-ci de l'année nous aider à préparer les plates-bandes pour l'hiver. Je revoyais en pensée le vieil homme un peu voûté qui m'avait appris à tailler les rosiers, et dont le pas me rappelait celui de mon père. J'ai voulu en savoir davantage sur le jardin lui-même. L'allée bordée de géraniums continue de marquer l'espace, de séparer le monde de la forêt, restée sauvage, de celui de nos aménagements de pierres, de pistes et de parfums. J'y pensais comme à cette vieille borne usée, délimitant en parties inégales, dans toute vie, les accidents du hasard et les compositions de la volonté.

La vasque depuis longtemps posée sous le hêtre attire encore les mêmes timides promeneurs ; mais les chevreuils, en venant y boire, n'ont plus à craindre mon va-et-vient sur la pelouse. L'antique clôture est à repeindre ; je n'y laisserai pas cette année les habituels barbouillages de l'homme pressé d'en finir avec sa tâche salissante. Et puis, le jeune pommier a donné cet automne ses premiers fruits. Je veux y voir un symbole, celui d'une nature se chargeant en mon absence d'assurer la suite des choses, au moins pour les quelques décennies à venir.

Le vieux gardien qui chaque soir me consacrait quelques minutes de son temps n'est plus venu depuis deux jours. Je me suis étonné, puis réjoui que, dans les circonstances, l'espèce d'intimité qui s'était installée entre nous puisse être si vraie. Ces deux inconnus qui se rejoignaient pendant une demi-heure, qui s'entendaient sur l'essentiel mais que séparait le grillage d'une porte, appartenaient encore à la même race humaine. Cela me consolait et m'attristait en même temps. Je songeais à moi, mais aussi au reste des hommes. La même vieille question me revenait à l'esprit : pourquoi des êtres capables au fond de se comprendre éprouvaient-ils tant de difficultés à vivre ensemble, librement, sans que les uns ressentent à l'égard des autres la menace d'un danger ? Quoi qu'il en soit, en me couchant hier, je me suis surpris à souffrir de cette absence, de cette habitude rompue. Notre conversation pourtant fut toujours banale. Mais elle m'était devenue nécessaire. Elle ne l'est déjà plus ce soir, puisque j'ai finalement accepté, tout à l'heure, que ton souvenir me submerge tout entier.

Tout disparaît peu à peu. Déjà c'est à peine si je retrouve le souvenir de certains événements qui pourtant ont compté : je ne sais plus si tel tressaillement qui changea ma vie m'est venu la nuit où maman est morte ou deux jours plus tard, au petit cimetière. J'ai beau y regarder de près, je ne reconnais pas bien dans ma mémoire le jeune homme qui lit en se disant qu'il sera écrivain. Même le matin de notre première rencontre se perd : ses détails m'échappent, comme m'échappe à présent la ligne que j'ai tracée entre deux étoiles, un soir de deuil. Ton image pourtant demeure d'une étonnante précision. Comme prévu, elle m'accompagnera jusqu'à la fin. J'aménage de mon mieux ce qu'il me reste de joie et de calme. Mes efforts à la longue portent leurs fruits. Par exemple, je peux encore presque toucher le front où se posait mon baiser, ou ma main, lorsque je m'inquiétais d'une fièvre. Et j'ai bien cru, il y a une heure, tenir sur ma poitrine cette tête dans laquelle subsistaient des visions d'enfant apeurée.

J'aurai vu ton corps changer, se recomposer sans cesse comme un paysage. Le temps, bien sûr, était toujours le plus intraitable des sculpteurs. Mais j'aimais cette autorité qui ajoutait aux lignes, aux arcs et aux angles une part d'attrait inconnue de la jeunesse. Peu à peu, la joliesse machinale des jeunes années s'en est allée. Quelque chose de mieux lui a succédé, une élégance, une aisance dans la simplicité. J'ai bien regardé : je t'ai trouvée plus belle à cinquante ans précisément parce que je voyais sur ton corps les effets du temps, et que le temps pour moi fut toujours un professeur de beauté. Toutes les traversées m'ont plu : c'était toujours l'occasion d'un bilan et, s'il le fallait, d'un réajustement de soi-même. Celle que tu effectuais en quittant pour de bon la jeunesse ne m'émouvait pas moins. Je t'observais tout à coup placer dans l'ordre les grands mobiles de ta vie. Je sentais que ton corps lui-même t'y poussait : ce mouvement était celui d'une plante qui, pour croître encore, se tourne par degrés vers la lumière. On peut bien, si on le veut, expliquer la beauté des êtres en vertu de leur seule apparence. Je l'ai fait peut-être plus souvent qu'aucun autre. Mais je me ravisais assez tôt pour ajouter à temps d'autres critères à mon jugement. Ce sont ceux-là surtout qui m'ont fait voir qu'il y avait de la beauté dans cette réalité de ton corps vieillissant. Je réfléchissais beaucoup à cela. J'ai supposé qu'au fur et à mesure où l'on avance en âge, l'âme s'extériorise, transmet au corps au moins un peu de son caractère. J'arrivais à cette opinion lorsque, certaines nuits, la joue que je frôlais me semblait aussi délicate que cette âme si souvent entraperçue, blottie entre deux de tes pensées. Je me suis aussi demandé si mon bonheur, dont chaque événement finissait par trouver son rang et son explication, se réfléchissait quant à lui sur ton visage. Je ne le saurai pas; il m'aurait fallu plus de temps. Je t'ai vue, en un peu plus de vingt ans, passer de la jeune fille guettant anxieusement à la fenêtre le retour de son chat à cette femme mûre peut-être pas plus sage, mais moins inquiète, et plus patiente. Cette transformation m'apprenait encore quelque chose. Elle dépassait cette simple consolidation de la personnalité que l'expérience finit normalement par provoquer. Oui, j'en suis presque sûr: c'était ton âme qui petit à petit devenait visible, révélait un peu de la mystérieuse correspondance qu'elle avait jusque-là entretenue avec le hasard, la volonté, la vie et le rêve.

Dans mes meilleurs moments, je crois encore avoir été le principal maître de mon destin. Il me semble que c'était moi surtout qui veillais à la bonne marche des travaux: deux ou trois bâtiments importants, dont la pierre angulaire porte ma signature, se dressent aujourd'hui au centre de ma vie; quelques ponts furent, par mes soins, jetés sur l'avenir comme sur un fleuve. Le hasard bien sûr tenait dans ces travaux un rôle important, mais j'ai essayé aussi souvent que j'ai pu d'amalgamer à ses matériaux friables ceux de la volonté, infiniment plus sûrs. Ne pouvant d'aucune manière le devancer, je me risquais à l'influencer, à le courber quasiment au point de le briser. J'arrivais ainsi à en déplacer les structures dont je ne voyais pas les raisons d'être, qui trop souvent me bloquaient la vue ou allongeaient sur mes propres constructions une ombre malvenue. Le destin, qui pour d'autres se définit par les événements que nous ne pouvons modeler, reste pour moi le résultat de cette constante rectification du danger, de cette collaboration patiente entre mon ambition et l'indifférence des choses, et de ces rencontres provoquées avec ma chance. Tu fus toujours le beau contrecoup de cette interminable bataille.

Je te confie ces pensées. Tu sauras ainsi de quoi furent faites les ultimes heures de cette vie que j'ai voulue jusqu'au bout imprégnée, sinon de ta présence, au moins de cet indéfinissable parfum que tu répandais autour de moi. J'ai fait le nécessaire : je me suis souvenu de ma joie, j'ai repoussé le plus longtemps possible l'inévitable rencontre avec ma souffrance. Mon plus grand malheur ne fut jamais la diminution de ma liberté. Je ne le saurai bien qu'à la fin, mais il me semble ce soir encore que le châtiment même qui m'attend ne sera pas plus douloureux que la distance qui nous séparait. Ni l'écriture, ni le patient dialogue que j'ai entretenu avec mon âme, ni l'observation assidue des astres passant au-dessus de ma prison ne m'auront consolé de ton absence. J'aurai, dans les limites que m'imposaient ces murs et mon chagrin, beaucoup rêvé de retrouvailles et de recommencement. Mais tu le sais à présent : sur ces quelques pages sont écrits ce qu'il me faut bien appeler, à regret, mes derniers mots. L'incessant bruissement de fougère que fait mon stylo en glissant sur le papier cessera bientôt. J'arrive au bout de ce que j'ai à dire.

Au doux mois de janvier 2061, tu viendras d'avoir cent ans. Je n'y serai plus depuis longtemps, mais peut-être penseras-tu encore un peu à cet homme qui pendant que tu dormais écartait un rideau, comptait les étoiles, puis s'émerveillait de leur faible lumière reflétée sur ton front. Peu importe, au fond : tu porteras jusqu'au bout, et peut-être sans le savoir, cette part de moi-même la plus vraie, justement parce qu'elle fut à la source de mes songes les plus beaux. Ton ventre qui n'a jamais enfanté les contient tous : c'est à lui que je les confiais en y appuyant ma tête. Et ce n'est nulle part ailleurs que là, à ce carrefour de ton sommeil et de mon rêve, que je rencontrais mon dieu.

*

Pour joindre l'auteur :

jfbeauchemin@aol.com
et sur Facebook

L'impression de cet ouvrage sur papier recyclé a permis de sauvegarder l'équivalent de 15 arbres de 15 à 20 cm de diamètre et de 12 m de hauteur.

Achevé d'imprimer au Canada
sur papier Enviro 100% recyclé
sur les presses de Imprimerie Lebonfon Inc.